ÖLÜMÜN TATLI KOKUSU

ÖLÜMÜN TATLI KOKUSU

Guillermo Arriaga

Çeviren: Seda Ersavcı

Yayıma Hazırlayan: Emek Akman

Kapak Tasarımı: Mithat Çınar

Sayfa Düzeni: Leyla Çelik

Baskı
BRC Basım
0 312 384 44 54

©Phoenix Yayınevi Tüm Hakları Saklıdır.

Ekim 2008, Ankara

ISBN No: 978-9944-931-66-3

Phoenix Yayınevi
Şehit Adem Yavuz Sok. Hitit Apt. 14/1
Kızılay-Ankara
Tel: 0 (312) 419 97 81 pbx
Faks: 0 (312) 419 16 11
e-posta: info@phoenixkitap.com
http://www.phoenixkitap.com

Dağıtım:
Siyasal Dağıtım
Şehit Adem Yavuz Sok. Hitit Apt. 14/1
Kızılay-Ankara
Tel: 0 (312) 419 97 81 pbx
Faks: 0 (312) 419 16 11
e-posta: info@siyasalkitap.com
http://www.siyasalkitap.com

ÖLÜMÜN TATLI KOKUSU

Guillermo Arriaga

Çeviren

Seda Ersavcı

I

ADELA

1

Ramón Castaños, uzaklardan gelen, içine işleyen bir çığlık duyduğunda tezgâhın tozunu alıyordu. Sese kulak kabarttı fakat sabahın gürültüsünden başka bir şey duymadı. Dağlarda dolaşan çakallardan birinin uğultusu olduğunu düşündü. İşine döndü. Bir rafa yönelip temizlemeye başladı. Birden çığlık tekrar duyuldu; bu kez daha yakın ve daha keskindi. Bu çığlığı başka çığlıklar takip etti. Ramón rafı temizlemeyi bıraktı ve bir sıçrayışla barın üzerinden atladı. Ne olup bittiğini anlamak için kapının önüne çıktı. Pazar sabahıydı ve etrafta hiç kimse yoktu ama çığlıkların arkası kesilmiyor, gitgide daha da şiddetleniyordu. Caddenin ortasına doğru yürüdü ve uzaktan üç çocuğun bağırıp çağırarak geldiğini gördü:

- Bir ölü... Bir ölü...

Ramón onlara doğru yürüdü. Diğerleri çiftliğin etrafında kaybolurken birini yakaladı.

- Ne oldu? diye sordu.

- Kızı öldürdüler... Kızı öldürdüler... diye inledi çocuk.

- Kimi? Nerede?

Çocuk cevap vermeden, geldiği yöne doğru koşmaya başladı. Ramón onu takip etti. Bir süpürge darısı tarlasına karşı gelinceye kadar nehre çıkan patika boyunca koştular.

- Burada! diye korku içinde haykırdı çocuk ve işaret parmağıyla kıyıyı gösterdi.

Ceset, vadinin sırtında, sabanın açtığı izler arasında yatıyordu. Ramón, her adımda kalbi daha da çarparken, yavaşça cesede yaklaştı. Kadın çıplaktı; bir kan gölünün üzerindeki yüzü gökyüzüne dönüktü. Ona sadece şöyle bir bakmasına rağmen artık gözlerini üzerinden ayıramıyordu. On altı yaşındayken çıplak bir kadını izlediğini defalarca hayal etmişti ama bunun bu şekilde olacağını hiç düşünmemişti. Kızın yumuşak ve hareketsiz tenini, şehvetten çok şaşkınlıkla izledi: Genç bir bedendi. Arkaya atılmış kolları ve hafif kıvrılmış bacağıyla kız sanki kendisine son bir kez sarılınmasını istiyordu. Görüntü aklını başından almıştı. Yutkunup derin bir nefes aldı. Ucuz, çiçeksi bir parfümün tatlı kokusunu içine doldurdu. Elini kadına uzatıp onu yerden kaldırmak ve ölü taklidi yapmayı bırakmasını söylemek istiyordu. Kız çıplaklığını ve sessizliğini korudu. Ramón gömleğini çıkardı -pazar günleri hep bu gömleği giyerdi- ve elinden gelenin en iyisini yaparak kızın üzerini örttü. Yaklaştığı zaman onu tanımıştı: Bu Adela'ydı, sırtından bıçaklanmıştı.

2

Diğer çocukların öncülük ettiği bir grup meraklı, olay yerine geldi. Patikada toplanırken öyle bir kargaşa çıkardılar ki neredeyse cesedi eziyorlardı. Ölü manzarası hepsini susturdu. Sessizce cesedin etrafını çevirdiler. Bazıları cesedi kaçamak bakışlarla inceledi. Ramón bedenin çıplaklığını koruduğunu fark etti. Elleriyle sorgun kamışları koparıp açıkta kalan kısımları örttü. Diğerleri, özel bir anın davetsiz misafirleri gibi, onu şaşkınlık içinde izledi.

6

Şişman, kır saçlı bir adam öne çıktı. Loma Grande arazisinin temsilcisi Justino Téllez'di. Ramón ve ölü kızın etrafını saran daireyi geçmeye cesaret edemeden, bir süre öylece durdu. O kalabalığı oluşturanlardan biri olarak dairenin sınırları içinde yer alabilmek isterdi. Fakat o otoriteydi ve ne yazık ki müdahale etmesi gerekiyordu. Yere tükürdü, ileri doğru üç adım attı ve Ramón'la, hiç kimsenin dinlemediği bir şeyler konuştu. Ölü bedenin yanına diz çöktü ve yüzüne bakmak için gömleği kaldırdı.

Temsilci, uzun bir süre cesedi inceledi. İşini bitirince kızın yüzünü tekrar örttü ve güçlükle doğruldu. Dudaklarını yalayıp pantolonunun cebinden bir mendil çıkardı ve yüzünden damlayan terleri sildi.

- Bir at arabası getirin, diye emretti, onu köye götürmek gerek.

Hiç kimse kıpırdamadı. Emrinin yerine getirilmediğini fark eden Justino Téllez çevresindeki yüzleri inceledi ve zayıf, hantal, çarpık bacaklı bir genç olan Pascual Ortega'nın önünde durdu.

- Yürü Pascual, git büyükbabanın arabasını getir.

Pascual sanki birden uyanmış gibi önce cesede sonra da temsilciye bakıp başını çevirdi ve Loma Grande'ye doğru koşmaya başladı.

Justino ve Ramón birbirlerine hiçbir şey demeden yüz yüze geldiler. Fısıltılar arasında bazı meraklılar "Ölü kim?" diye sordular.

Gerçekte cesedin kime ait olduğunu hiç kimse bilmiyordu ama kalabalıktan kimliği belirsiz bir ses yükseldi:

- Ramón Castaños'un sevgilisi.

Yükselen mırıltılar birkaç saniye sürdü ve kalabalığın sesi sonra erdiğinde etrafı, sadece ağustosböceklerinin vızıltılarının zaman zaman böldüğü, derin bir sessizlik kapladı. Güneş kavurmaya başlamıştı. Topraktan sıcak ve nemli bir buhar yükseliyordu. Hareketsiz eti canlandıracak en ufak esinti bile yoktu.

- Bıçaklanmasının üzerinden çok vakit geçmemiş, dedi Justino alçak sesle, ne katılaşmış ne de karıncalar yemeye başlamış.

Ramón canı sıkkın bir şekilde ona baktı. Téllez, sesini daha da alçaltarak konuşmaya devam etti:

- Öldürülmesinin üzerinden iki saat bile geçmemiş.

3

Pascual at arabasıyla gelip cesede en yakın yerde durdu. Ölünün etrafındaki kalabalık dağıldı; Ramón, kararlı bir şekilde cesedin altına kollarını dolayıp onu kaldırıncaya kadar, uzun bir süre öylece bekledi. Bir eli istemsizce kızın yapışkan yarasına dokundu ve elini aniden geri çekti. Üzerindeki gömlek ve kamışlar kayınca kız tekrar çıplak kaldı. Hastalıklı bakışlar açığa çıkan teni yeniden izlemeye başladı. Ramón, Adela'nın çelimsiz utancını saklamaya çalıştı: Yarım bir daire çizip kalabalığa arkasını döndü. Diğerleri, ona yardım etmeye teşebbüs bile etmeden geriye çekildiler. Arabaya kadar sendeleyerek ilerledi ve cansız bedeni yavaşça içeri yerleştirdi. Pascual kızın üzerini örtmesi için Ramón'a bir battaniye uzattı.

Justino, işin doğru düzgün yapılıp yapılmadığını denetlemek için onlara yaklaştı ve "Götür onu Pascual," dedi.

Genç adam arabaya çıkıp eşekleri kamçıladı. At arabası sarsılarak ilerliyor, tahtaların üzerindeki ceset sallanıyordu. Kalabalık onları takip etti. Cenaze alayı dedikoduyu doğruluyordu: "Ramón Castaños'un sevgilisini öldürdüler."

Justino ve Ramón cenaze alayının ayrılışını hareketsiz izledi. Ilık bedene dokunuşunun verdiği etkiyle hâlâ titreyen Ramón damarlarının alev aldığını hissetti. Daha biraz önce kaldırdığı yükü özlüyordu: Sanki şimdiye kadar hep ona ait olan bir şey elinden alınmış gibi hissediyordu. Kollarına baktı; silik kan lekeleriyle boyanmıştı. Gözlerini kapadı. Birden Adela'nın arkasından koşup onu kucaklamanın baş döndürücü arzusuyla dolup taştı. Bu düşünce onu şaşırtmıştı. Solup gideceğini sandı.

Justino'nun sesi onu kendine getirdi.

- Ramón, diye ona seslendi.

Gözlerini açtı. Gökyüzü bulutsuz, masmaviydi. Sorgun çalıları kırmızılaşmış, toplanmaya hazır durumdaydı. Ölüm, kollarındaki bir kadının hatırasıydı.

Justino eğilip yere yapışmış olan gömleği aldı ve mekanik bir şekilde, gömleğe uzanan Ramón'a uzattı. Gömlek de kırmızıya boyanmıştı. Ramón onu giymedi; beline bağladı. Temsilci ona doğru yürüyüp önünde durdu ve başını kaşıdı:

- Sana bir şey itiraf edeceğim, dedi, ölünün kim olduğuna dair en ufak bir fikrim yok.

Ramón hafifçe iç geçirdi. 'Benim de yok,' diyebilirdi. Alışveriş yapması için dükkânına gönderildiğinde, yalnızca beş ya da altı kez görmüştü kızı. Ondan çok hoşlandığı için -uzun boylu ve renkli gözlüydü- adını sormuştu. Adını ona Juan Carrera söylemişti: Adela. Hakkında bildiği tek şey buydu fakat şimdi bu kadar yakınında bulunmuşken, kız öylesine çıplak ve öylesine yakınken, onu bütün hayatı boyunca tanıyormuş gibi hissetmişti.

- Adela, diye mırıldandı Ramón; adı Adela'ydı.

Temsilci kaşını kaldırdı; bu isim ona hiçbir şey ifade etmemişti.

- Adela, diye tekrarladı Ramón, sanki isim kendi kendini telaffuz ediyor gibiydi.

- Adela, ne? diye sordu Justino.

Ramón omuz silkti. Temsilci bakışlarını aşağı kaydırıp önceden cesedin yatmakta olduğu, şimdi sadece kanla kaplı mekâna bir göz attı. Sert ve çatlaklarla dolu toprakta silik ayak izleri vardı. Justino onları izledi: Ekinlere ilerliyor, nehirde kayboluyorlardı. Başını öne eğip avuçlarıyla adımları ölçtü. İzlerden bir tanesi bir karıştan biraz fazlaydı; Adela'ya aitti. Diğeri, bir karıştan bir çeyrek karış ve üç parmak uzun olanı, katile aitti. Kızın izleri yalın ayak olduğunu gösteriyor, adamın izleriyse yüksek topuklu kovboy çizmeleriyle eşleşiyordu.

Justino havayı ciğerlerine doldurup bıraktı:

- Kızı öldüren adam ne uzun ne kısa, ne şişman ne de inceydi, öyle değil mi?

Ramón isteksizce onayladı; onu dinlememişti. Justino ayağıyla toprağı eşeleyip konuşmaya devam etti:

- Onu büyük ve keskin bir bıçakla öldürdüler; tek bir hamleyle kalbini deşmişler.

Silahı bulma amacıyla etrafı araştırdı; bulamayıp konuşmasını sürdürdü:

- Yüz üstü yere düşmüş ama katil yüzünü görebilmek için onu çevirmiş ve öylece bırakmış... Sanki yarım bırakılan bir cümle gibi...

Beyaz kanatlı bir güvercin sürüsü uçarak üstlerinden geçti. Justino onları, ufukta kayboluncaya kadar, gözleriyle takip etti.

- Çok genç, dedi, sanki kendi kendine konuşur gibi, hangi boktan sebepten onu öldürmüş olabilirler ki?

Ramón'un arkasını dönüp onun yüzüne bakmaya bile hâli yoktu. Justino Téllez yere tükürdü, Ramón'u kolundan tuttu ve onunla beraber patikada yürümeye başladı.

II

OKUL

1

Loma Grande'ye geri döndüler. Cenaze alayı önceki durumunu koruyordu; Adela'nın cesedi at arabasının üzerinde duruyor, toz ve güneşten şişiyordu. Diğer komşular da gruba katılmıştı. Onların arasından da aynı ses yükseliyordu: "Ramón Castaños'un sevgilisini öldürdüler."

Jacinto Cruz -kasaba mezarlığında ölülerden ve defin işlerinden sorumlu kişiydi- Ramón'a yaklaştı.

- Ne yapalım? diye sordu.

Justino rahatsız olmuştu; otorite o olduğuna göre, bu sorunun sorulması gereken kişi de oydu.

- Onu okula götürün, diye emretti.

Jacinto emri yerine getirmek üzereyken temsilci onu durdurdu:

- Ve kızın ailesine haber verin.

Jacinto ona şüpheyle baktı.

- Peki, ailesi kim?

Téllez omuz silkip bir cevap beklercesine Ramón'a döndü. Fakat kızın ailesini o da tanımıyordu.

- Ben tanıyorum, dedi Lucio Estrada'nın karısı Evelia, Macedonio Macedo'ların iki ev ilerisinde oturuyorlar.

Birkaç ay öncesine kadar Macedonio'nun evi Loma Grande'deki son evdi. Fakat köye yerleşmek için dışarıdan o kadar çok insan gelmişti ki sınırlar sürekli genişliyordu.

- O zaman lütfen Evelia, diye boğuk bir sesle rica etti Téllez, onlara olanları anlat.

Onu okula taşıdılar. Bunu teklif etmediği hâlde, Ramón, cenaze işlerinin başını çekiyordu. Daha fazla toprak bulaşmasın diye kızın altına çanta koydular ve üzerini de Pascual'ın battaniyesiyle örttüler. Birisi cesedin dört yanına koydukları mumları yaktı. Salon hepten dolmaya başladı. Herkes olaya en yakın yere geçebilmek için birbirini sıkıştırıp duruyordu. Yine de bu çılgınlık, kargaşa -sanki aralarında görünmez sınırlar varmışçasına- Ramón'un durduğu yere bulaşmadı.

2

Boğucu havanın içindeki kalabalığı yarıp gelen kuzeni Pedro Salgado, Ramón'a yaklaştı:

- Sevgilin için çok üzgünüm kuzen, dedi.

Ramón ona kafası karışmış bir hâlde baktı:

- Ne sevgilisi?

Pedro ona sarıldı. Nefesi alkol kokuyordu.

- Yanındayım kuzen, diye fısıldadı. Biraz uzaklaşıp gömleğini çıkardı ve ona uzattı.

- Al, bu zor zamanlarda bir de çıplak dolaşma.

Bunun üzerine Ramón gömleğinin üzerinde olmadığını fark etti.

- Hayır, teşekkürler, dedi utanarak ve beline bağlı gömleğini gösterdi; benimki burada.

Pedro ona boş gözlerle baktı. Ağzını açtı ve Ramón'un göğsüne vurdu.

- Kuzen, seninki kirli ve ben bütün samimiyetimle sana kendi gömleğimi veriyorum.

Ramón aptallaşmış bir hâlde gömleği aldı ve bu jesti için kuzenine teşekkür etti.

- Biliyorsun Ramón, elimden gelen her şeyi yapmak isterim, dedi yaşlarla buğulanmış gözlerle ve onu alnından öptü.

- Onu çok sevdiğini biliyorum, diye mırıldandı ve yalpalayarak uzaklaştı.

Ramón ona yetişip Adela'nın hiçbir zaman sevgilisi olmadığını, kendisinin de ona diğerleri kadar uzak olduğunu açıklamaya çalıştı. Kalabalık ona engel oldu. Kuzeninin sarhoş olduğunu düşünerek kendini rahatlatmaya çalıştı. 'Ne dediğinin farkında bile değil,' diye düşündü.

Pedro'nun gömleğine bir göz attı. Biraz ter ve bira kokuyordu ama kendi gömleğinden daha temizdi. Giyip önünü ilikledi; kendi gömleğinden bir beden büyüktü. Ceset bulunalı bir saat bile olmamıştı ama Ramón Castaños'un sevgilisinin öldürüldüğü dedikodusu bütün Loma Grande'ye yayılmıştı.

Okulun etrafında toplanan kalabalık Ramón ve tanımadıkları kız arasındaki ilişkiyi değerlendirmeye çalışıyordu. Bazıları bu durumu böbürlenmek için kullanıyordu. Juan Carrera, ölü kızın arkadaşı olduğunu iddia ediyordu. Aslında aralarındaki bütün ilişki geçen haziranda bir perşembe sabahı, Adela'nın cevap bile vermediği bir 'iyi günler'den ibaretti.

- Onu Ramón'la ben tanıştırdım, diyordu, benim sayemde sevgili oldular.

3

Dul Castaños, cenaze konvoyunun geçişini uzaktan gördüğünde Melquiades ve Pedro Estrada'nın kendisine hediye ettiği balıkların pullarını kazıyordu. Cenazeyle hiç ilgilenmemiş, ateşli vaazlar veren gezici Protestanların pazar sabahları düzenlediği dinî ayinlerden biri olduğunu düşünüp işine geri döndü. Balıkları temizleyip son atıklardan da kurtulmak için onları yıkamıştı. O bunu yaparken María Gaya ve Eduviges Lovera olanları anlatmak için evine gelmişti. Birinin başladığı lafı diğeri tamamlayarak ona olanları anlattılar. Dul kadın şaşkına döndü. Ne oğlunun sözü geçen Adela'yla bir ilişkisi olduğunu fark etmiş ne de oğlu kendisine bir sevgilisi olduğunu itiraf etmişti. Ayrıca oğlunun âşık olduğu kızın adını gizleyecek bir tip olduğunu ya da halkın gizli bir tutkuyu açığa çıkardığını düşünmüyordu. Hayır, sözü geçen bu aşk ilişkisi doğru olamazdı. Bu kadar önemli bir şey gözünden kaçmış olamazdı. Yine de arkadaşları ısrar ediyordu: Ramón,

Adela'nın sevgilisiydi ve Adela'yı sabaha karşı öldürmüşlerdi. Dul kadın buna inanmakta güçlük çekiyordu. Eduviges Lovera anlattıklarının doğruluğunu kanıtlamak için ona okula kadar eşlik etmeyi öneriyordu. Kadın bu teklifi kabul etti. Balıkları küçük bir fıçının içine koyup tuzladı ve sinek gezmesin diye fıçının üzerini bir kartonla örtüp evden çıktı.

Okula gelip oğlunu salonun bir köşesinde bulduğunda arkadaşlarının kendisine ulaştırdığı haberin doğruluğuna duyduğu tüm şüphe dağıldı. Ramón üzgün ve acı dolu gözüküyordu; erkekler yalnızca hayatta en çok sevdikleri kadını kaybettiklerinde bu kadar üzgün ve acılı gözükürlerdi.

Dul Castaños, bir an için, en küçük oğlunu teselli etmeye gidip gitmemekte tereddüt etti. Cesaret edemedi; oğlunun yüzünde yatıştırmayı beceremeyeceği bir keder vardı. Acı içinde sınıfı terk etti.

4

İnsanlar doğaçlama gelişen törene gelmeye devam ediyordu. Salonda hiç yer kalmamıştı; dışarıdakiler içeri girmek istiyor, içeridekiler dışarı çıkmak istemiyordu. Herkes orada olmak, bıçaklanmış sevgiliyle ilgili mırıldanmak, cesedi koklamak ve bir başkasının acısına burnunu sokmak istiyordu. Mekânı genişletmek için sıraları, sandalyeleri, tahtayı ve sınıfta yer kaplayan her şeyi dışarı çıkarmışlardı. Bunu öylesine özensiz yapmışlardı ki bazı şişman tipler arada sıkışıp kalmıştı. Loma Grande ve çevresindeki tek profesör olan Margarita Palacios insan kalabalığına söz geçirmeyi deniyordu. Ellerini birbirine vurarak konuşmaya çalışıyordu:

- Çıkarın şu ölüyü buradan. Çocukları korkutacaksınız ve bir daha okula gelmek istemeyecekler.

Boşuna uğraşıyordu; büyükler onu dinlemiyor, adamın söylediklerinin geçerliliğindense olayla ilgilenmeyi tercih ediyordu. Çocuklarsa, korkmak bir yana, ailelerinin öfkesinden etkilenmiş görünüyorlardı. Salonun camlarına yapışmış, bu sıra dışı olayı -ellerinden geldiğince- görmeye çalışıyorlardı.

Justino Téllez onca gürültü arasında, sonunda, kaçınılmaz olanı duymuştu: Adela, Ramón Castaños'un sevgilisiydi. İlk önce buna inanmayı reddetmişti. Sadece laf salatası olduğunu düşünmüştü. Fakat cümle o kadar çok ve o kadar farklı kişi tarafından tekrar edilmişti ki sonunda doğru olduğunu kabul etmişti. Ramón'un kaygısını, boş bakışlarını, dalgınlığını ancak o zaman anlamlandırabilmiş fakat gerçeği neden kendine itiraf etmediğini ve ilişkisini saklamak için ne gibi bir sebebi olabileceğini çözememişti.

Justino Téllez, polis değil de kooperatif müdürü olduğundan, sorguya çektiği insanlar onu pek de ciddiye almazdı. Yine de doğrudan saldırdı:

- Onu çok iyi saklamışsın.

Ramón, başta Justino'nun kendisiyle konuştuğunu anlamadı. Fakat temsilci o kadar ısrarla bakıyordu ki sonunda soruyu üzerine alındı.

- Neyi saklamışım? diye öfkeyle sordu.

Justino gülümseyip başıyla Adela'nın cesedinin bulunduğu yeri işaret ederek "Onun senin sevgilin olduğunu," dedi.

Cevap Ramón'u şaşkına çevirmişti. Kekeleyerek inkâr etmek istedi:

- O, hayır... O... Ben...

Başka tek bir cümle söylemesine fırsat kalmadan biri bağırdı:

- Polis geliyor!

III

CARMELO LOZANO

1

Kurşuni mavi iki kamyonet okulun önüne park etti. Bunu vahşice, insanların gözüne sokarcasına yapmışlar, yerden bir toz bulutu kaldırıp çocukları korkutmuşlardı. Gelenlerden biri Mante şehrinin polis şefi Carmelo Lozano'ydu. Carmelo pazar günleri devriyeye çıkmaya alışık değildi fakat o sabah Loma Grande civarlarında ciddi bir olay olduğundan emin bir şekilde uyanmıştı. Titreşimler alıyordu; komutasındaki insanlara böyle söylemişti; onları kamyonetlere bindirmiş ve köye ulaşıncaya kadar, 40 kilometrelik dolambaçlı yollar boyunca, içgüdülerini dinleyerek durmaksızın ilerlemişti.

- Selam yurttaşlar, bunca tantananın sebebi nedir?

Salonun önünde duranlar yavaşça sıvışmaya başlamıştı; Carmelo kötü biri değildi, gerçi iyi biri de değildi ama polisti ve bu ondan kaçmak için yeterli bir sebepti. Lozano camlardan birinden sınıfta duran cesedi görmüştü. Önsezilerini dinlemiş olmak hoşuna gitmişti; aldığı titreşimler onu hiçbir zaman yanıltmazdı. Olay yerine yeni gelmiş, dalgın bir çocuk olan Guzmaro Collazos'u omzundan yakaladı.

- Kimi öldürdüler dostum? diye sordu Carmelo.

Guzmaro ne cevap vereceğini bilemedi. Kaçmaya çalıştı fakat Carmelo'nun eli ona engel oldu.

- Ne oldu be adam? Anlatsana!

Justino Téllez kapı ağzında belirip çocuğun imdadına yetişti:

- Önce selam ver komutan... Ne o, yoksa bütün görgü kurallarını unuttun mu?

Carmelo iki metrelik boyuyla onu süzüp gülümsedi. O ve Justino, Loma Grande şimdiki adını almadan ve henüz bir köye dönüşmeden önce, sadece dört yatakhaneden ibaret bir yer olduğu zamandan tanışıyorlardı. Carmelo, Guzmaro'yu bıraktı; çocuk ondan hızla uzaklaştı ve Justino'ya doğru yürüdü. Çocukluklarından beri yaptıkları gibi selamlaştılar:

- N'aber Pençeli? diye haykırdı Lozano.

Justino anında cevap verdi:

- N'olsun be Toynaklı.

Carmelo Justino yanına gidip ciğerlerine vuracak gibi yaptı. Temsilci bu hamleyi önleme numarası yaptı.

- Hangi şeytan dürttü de buraya kadar geldin Komutan?

- Hiç işte dostum, seni selamlama arzusuyla sabahladım.

Justino elini uzattı ve Carmelo onu sıkıca kavrayıp selamladı.

- Tamam, işte selamlaştık, dedi Justino, artık geri dönebilirsin.

Carmelo kaşını kaldırdı:

- Of Justino, piçin tekisin.

İki adam birkaç saniye boyunca birbirine baktı. Téllez yürümeye başladı.

- Gelsene, dedi polise, beni izle; burada duymaması gerekenleri dinlemeye hazır bir yığın kulak var.

Onu çevreleyen meraklılar kendilerinden bahsediliyormuş gibi olmasın diye kenara çekildiler. Lozano yanındaki sekiz adama kendisini beklemelerini işaret etti. Yüksek bir amberağacının altına sığınıncaya kadar dört beş adım atıp oradan uzaklaştılar.

Téllez, "Şimdi Carmelo," diye boşboğazlık etmeden söze başladı, "bir genç kızımız öldü."

- Öldü mü, yoksa öldürüldü mü?

Justino toprağa tükürdü. Tükürüğü toza karışıp yok oldu.

- Öldürüldü… Malaga usulü; sırtına bıçak saplamışlar.

Carmelo yüz ifadesini hiç değiştirmeden bıyığını çekiştirdi ve emmek için ağaçtan bir dal kopardı.

- Peki, kimi öldürdüler?

Justino başını salladı:

- Bilmiyorum. Ben de bunu öğrenmeye çalışıyorum.

Carmelo saatinin kayışının üzerinde duran bir çekirgeden kurtulmak için sol kolunu salladı. Çekirge onları izleyen işgüzarların olduğu tarafa doğru uçtu.

- Onu kimin öldürdüğünü biliyor musun?

- Hayır, diye cevapladı Justino.

- Kız aşağı yukarı kaç yaşındaydı? diye sordu Lozano.

Justino birkaç saniye düşündü:

- Yaş tahmininde pek iyi değilimdir ama herhâlde on beş civarlarındadır.

Carmelo kuru dudaklarını yalayarak ıslattı ve eliyle kaşlarının etrafına biriken teri sildi.

- Sıcak fena vuruyor, dedi ve gözlerini kavrulan caddeye dikti.

- Ne düşünüyorsun? diye devam etti, aşkın böyle kötüye kullanılması canını sıkmıyor mu?

Téllez hafifçe başını sallayarak onayladı:

- Aşağılık insanlar dostum, diye devam etti Lozano, medenîleşmiyor ve hâlâ saçma sapan sebeplerle birbirlerini öldürüyorlar.

Justino ona şüpheyle baktı. Lozano gençken, kıskançlık nedeniyle, bir kadını ciddi şekilde yaralamıştı. Kadın, komutanın ona sıktığı iki kurşuna rağmen hayatta kalmayı başarmıştı. Adam pişman olmuş, kadına evlenme teklif etmişti. Kadın teklifi kabul etmiş fakat hiçbir zaman evlenme aşamasına gelmemişlerdi; düğünden birkaç gün önce alkol komasından ölmüştü. O zamandan beri tüm duygusal ilişkilerin barbarlık olduğunu düşünüyordu.

- Bunlar saçma sapan şeyler değil, diye onunla alay etti Justino, sadece yaşlandın ve kafan artık böyle şeylere basmıyor.

- Sadece gövde yaşlanır, diye cevapladı Carmelo. Başını kaldırıp yükseklerde bir yerde çatırdıyormuş gibi duran güneşe baktı.

- Lanet olsun, diye geveledi, buraya boşu boşuna gelmişim.

Justino alaycı bir tavırla gülümsedi:

- Ne bekliyordun Komiser? Kaçakçılık yapan bir çete mi? Narkotik uçağı mı?

- Buraya gelmeme değecek bir şey, diye cevapladı Lozano, işe yaramaz bir ölü değil.

Justino, Carmelo'yu asıl rahatsız edenin para kazanmasının imkânsızlığı olduğunu ve şüpheli ya da suçlu olmadan bu işten kazanç sağlayamayacağını biliyordu. Genç kızın katli onu gerçekten gafil avlamıştı.

Carmelo kuru dudaklarını tekrar ıslattı:

- Hiç değilse bana bir bira ısmarlasan?

Jacinto pazar günleri açık olan ve soğuk bira satan tek dükkânın Ramón'unki olduğunu hatırlamadan önce 'Pekâlâ,' diye cevap vermek üzereydi.

- Ne yazık ki yapamam.

- Adilik yapma şimdi, dedi Carmelo.

- Ismarlayabileceğim bir yer yok, diye açıkladı Justino.

- Sebep? diye sordu Carmelo ensesini ovarken.

- Çünkü öldürdükleri kız köşedeki dükkânı işleten Ramón Castaños'un sevgilisiydi.

- Ramón? Francisca'nın oğlu mu?

- Ta kendisi.

Carmelo ağzını şapırdattı.

- Hişt, hani kimi hakladıklarını bilmiyordun.

- Aslında bilmiyorum, kızı ne gördüm, ne de tanıyordum. Bildiğim tek şey sana az önce söylediğim şey, onu da yeni öğrendim zaten.

Lozano kafasını kaşıdı; meraklanmıştı.

- Ramón nerede?

- Orada, içeride. Kıza göz kulak oluyor, diye cevapladı Justino.

Carmelo emdiği ağaç dalını yere attı.

- Allah'ın belası bir bira bile içemiyorum, lanet olsun! diye isyan etti.

Gömlek ceplerinden birinden küçük bir dolma kalem ve not defteri çıkardı.

- Ne yapacaksın? diye sordu Justino.

- Rapor yazacağım.

Justino huzursuzca homurdandı.

- Her şeyi berbat etme Carmelo, en iyisi olduğu gibi bırakmak. Burada her şey benim kontrolümde oluyor ve bir şey öğrendiğim zaman sana haber veririm.

Lozano, Justino'yu süzüp hafifçe yanağına vurdu.

- Dostum, seni ilgilendirmeyen işlere niçin burnunu sokuyorsun?

- Hayır, lanet olsun, diyerek öfkeyle cevapladı Justino, en son o lanet raporlarından birini yazdığında köye yargıç bile geldi ve hepsi sadece öyle olduğunu sandığın...

Carmelo birden onun sözünü kesti:

- Onu Ramón öldürdü, öyle değil mi?

Justino kaşlarını çattı; şaşırmıştı.

- Biliyordum, diye devam etti Lazano, kıskanç pislikler böyledir işte dostum, hiç kimse onları kontrol edemez.

IV

ADELA YENİDEN CANLANIYOR

1

Salonun dört duvarında keskin bir çığlık yankılandı:

- Yaşıyor, diye uludu Prudencia Negrete, yaşlı kadın cesedin battaniyenin altında kıvrandığını görmüştü.

Rosa León, daha da sağır edici bir feryatla kadını destekledi:

- Yaşıyor... Hareket ediyor...

Ramón gözlerini ölüye çevirdi ve midesinde bir acı hissetti; Adela hareket ediyordu, vücudunun bir yanı hafifçe yukarı kalkıp aşağı iniyordu.

- Aziz Tanrım, bizi bağışla, diyerek dizlerinin üzerine çöküp inledi Loma Grande ve çevresindeki tek orospu olan Gertrudis Sánchez.

Lucio Estrada toplu histeriyi doğruladı. 'Yaşlı palyaçolar' Ramón'un kulağına fısıldadı; cesede doğru yürüyüp üzerini omuzlarına kadar açtı. Adela'nın sabahki sakin ifadesi değişmişti; şimdi yüzü sert ve gergindi; çığlık atmak üzereymiş gibi bir hâli vardı.

- Ne yaşaması? diye alay etti Lucio, gazı olduğu için hoplayıp zıplıyordur.

Gözleri kamaşan Rosa León, Lucio'nun söylediklerini teyit etmek amacıyla cesede doğru ilerledi ve ona iyice yaklaştığında Lucio kaburgalarını ısırdı.

- Lanet, ısırıyor.

Rosa León, sinirleri bozuk bir şekilde, arkaya doğru sıçradı. Bir yığın insan kahkaha attı. Ramón onlardan biri değildi. Adela'nın, şimdi ölüyü daha da andıran görüntüsü onu derinden sarsmıştı. Sadece birkaç saniye içinde, Adela gözlerinin önünde değişim geçirmişti. Kollarında taşıyıp allak bullak olmuş hâlde bıraktığı o ılık kadın değildi artık. Şimdi sadece koca bir et yığınıydı. Yine de Adela onun üzerine yapışıyor, onu yutuyor ve boyunduruğu altına alıyordu.

Lucio cesedin üzerini yeniden örtüp gösterisinden; bir skandalı komediye dönüştürmüş olmaktan memnun kollarını iki yana açtı. Rosa León, arkasından yükselen kahkahalar arasında ağlayarak salonu terk ederken o, büyük bir neşe ve gururla arkadaşlarıyla sohbet etmeye devam etti.

Prudencia ve Rosa'nın çığlıkları herkesin dikkatini üzerlerine çekmiş ve dışarıda bekleyen dokuz yerel polisin varlığının unutulmasına neden olmuştu. Birden Carmelo Lozano ve adamlarının kamyonetlerine biniyor ve Justino'nun onları soğuk bir şekilde uğurluyor olduğunu fark ettiler.

Polisler geldikleri gibi, yeni bir toz bulutu yaratıp çocukları korkutarak gitmişlerdi.

Justino, Carmelo Lozano'nun Ramón hakkındaki bütün şüphelerini birer birer kafasından atıyordu. "Hayır, komutan," demişti, "Ramón böyle bir şey yapabilecek birisi değil. Sen de, ben de onu çocukluğundan beri tanıyoruz. Böyle bir barbarlığı neden yapsın ki?"

Tezgâhtarı savunmak ona bir yığın lafa ve yüz bin pezoya mal olmuştu. "Benzin için," demişti Carmelo "ve Mante'de soğuk bira içebilmek için; biliyorsun burada bana yeterince iyi hizmet etmediler."

Lozano gitmeden önce, haftaya tekrar gelip bu olayla ilgileneceğine söz vermiş ve kötü biri olmadığından, iyi niyetini hazırladığı raporla göstermişti:

8 Eylül 1991, Pazar günü.

Yolculuk yapılmış, her şey gözden geçirilmiştir. Ne ciddi bir olayla, ne de izi sürülecek bir suçla karşılaşıldı. Bölge tamamen düzen ve sükûnet içindedir.

Justino sınıfa dönüp Ramón'a yöneldi.

- Seni hapse atılmaktan kurtardım, diye onu sertçe azarladı, ama bana bunca gizemi neden yarattığını açıklamalısın.

2

Öğlen güneşi kasabayı yalamaya başlamıştı. İnsan bedenlerindeki nem ve keyif, salonun içine işlemiş; sırılsıklam bir atmosfer oluşmuştu. Terle birleşen koku, hızla çürümeye başlayan cesetten yayılan tatlı ekşi kokuyu bastırıyor, salondakilerin onu duyumsamasına engel oluyordu. Bir düzine yeşil sinek cesedin etrafında uçuşup üzerinde yattığı çantanın kenarlarından kayan kalın pıhtılar bırakıncaya kadar onun çürüdüğünü fark etmemişlerdi.

- Üzerine sinekler konuyor, diye belirtti Jacinto Cruz.

Justino Téllez levazımatçıya yanaştı.

- Ne yapalım? diye sordu.

Jacinto Cruz daha iyi soluyabilmek ve cesedin çürüme derecesini saptayabilmek için burnundan derin bir nefes çekti.

- Onu bir an önce hazırlayıp bir kutuya koymalıyız, dedi sakince, kız buradan çok öbür tarafta.

"Hazırlamak," Loma Grande'de cesedi giydirmek, saçını taramak, allık sürmek, tabuta yerleştirip hayır duası okumak, kısa bir veda etmek ve mezara göndermek anlamına geliyordu; yazın ölüler çok çabuk çürüyordu. Fakat şimdi bunların hiçbiri yapılamazdı; Adela'nın ailesini getirmeye giden Evalia hâlâ dönmemişti. Beklemek ve bu sırada da cesedin kendi kendini bozmasını engelleyecek bir yol bulmak gerekiyordu.

Bu sorun üzerine defalarca tartışıldıktan sonra birisi cesedin buza yatırılması ihtimalinden bahsetti. Köyde buzu bu şekilde kullanan sadece iki kişi vardı: Lucio Estreda balıkları; Ramón da kola ile birayı soğutuyordu. Fikir Lucio'nun hoşuna gitmemişti; bu sıcakta buz hemen erirdi ve kanla karışınca ortaya çıkacak tek şey salgın hastalık ve daha fazla sinek olurdu. Bu fikirden Ramón da hoşlanmamıştı; Adela'nın bir meşrubat şişesi gibi soğumaya bırakıldığını düşünmek bile başını döndürmeye yetmişti.

Buz fikrinden vazgeçildi. Bir ara Tampico'da bir eczanede çalışmış olan Tomás Lima, cesede formaldehit solüsyonu enjekte etmeyi önerdi. "Bununla bozulmaz," diye garanti verdi. Fakat Loma Grande'deki tek formaldehit solüsyonu tavşan embriyolarını saklamak için kullanan -ve onu boş bir mayonez kutusunda tutan- Profesör Margarita, Palacios'taydı.

Profesörün elindekini onlara verme ihtimali çok düşüktü. Üstelik okulda çıkan karışıklıktan dolayı gücenmiş hissetmesinin yanı sıra doğal bilimler dersinde Darwin'in evrim teorisini açıklamak için kullanacağı ceninler ilk şekillerini almaya başlamıştı.

"Bakın balığa benziyorlar," diyordu öğrencilerine, bir yandan cam şişeyi sallarken. Sonra yanaklarına dokunup haykırıyordu: "Ama dikkat edin, bunlar tavşan." Ve gösterisinin yaşlı Charles'ın teorisini tamamen açıkladığını düşünüp tatmin olmuş bir şekilde gülümsüyordu.

Ve hayır, öğretmen elindeki formaldehit solüsyonunu sınıfının ortasında yatan cesede bağışlamazdı, hem zaten bunu yapsa bile solüsyon, cesedi mumyalamaya yetmezdi -ancak dört şırınga çıkardı ki mumyalama işi için üç litreden fazla gerekiyordu. O zaman Tomás Lima, 96 derece alkol kullanmayı önerdi.

- Kimde alkol var? diye yüksek sesle sordu Justino Téllez.

İki kadın "Bizde var," diye yanıtladı ve yanlarında onlara eşlik eden kişilerle beraber evlerine alkolü almaya gittiler. Kısa bir süre sonra Martina Borja beyaz plastik bir kabın içine koyduğu yarım litre alkolle geri döndü. Conradia Jiménez, evinde sakladığı azıcık alkolü kocasının bir alkol nöbeti sırasında içmiş olduğundan şüphelendiğini söyleyerek geri döndü.

Yarım litre yetersizdi. Justino Téllez ısrar ediyordu:

- Alkolü olan başka kimse yok mu?

Sotelo Villa bibloların arasında alkol değil ama oksijenli su şişesi gördüğünü hatırladı.

- İşe yarar mı? diye sordu.

Tomás Lima bir an için sessiz kaldı.

- Hepsinden çok işe yarar, diye cevapladı.

Böylece Sotelo Villa oksijenli su şişesini, Guzmaro Collazos mor Gentiana[1] ve Prudencia Negrete bir damla metil alkol getirmeye gitti.

Tomás Lima yüzünü ekşitti.

- Ne oldu? diye sordu Justino.

- Gerekli miktarı hâlâ elde edebilmiş değiliz, diye bildirdi.

Bazıları cesede enjekte edebilecekleri ilaç ya da uygun bir tıbbi malzeme bulma umuduyla evlerine gitti ama elleri boş döndü.

Bütün sabahı bir köşede hiç konuşmadan durarak geçiren Torcuato Garduño:

---

[1] *Gentiana lutea* bitkisinin kökünden yapılan bir çeşit ilaç.

- Peki, likör enjekte etsek? diye sordu.

Justino ona öfkeyle baktı. Tomás Lima dalgınca "Olabilir, o da alkol," dediğinde adamın teklifini reddetmek üzereydi.

- Ona dua et, dedi Torcuato gülerek; giysilerinin arasından bir matara çıkarıp Tomás'a uzattı. Tomás matarayı dikkatle aldı, açtı, kokladı ve yüklü bir miktarı ona şırınga etti.

- Lanet olsun, dedi duygulu bir şekilde, bu iyi bir romdu, işe yaramasına bozuldum.

3

96 derece alkolü, oksijenli suyu ve metil alkolü kalaylanmış bir tavanın içinde karıştırdılar. Mumyalamak için gerekli malzeme hazırlanmış, geriye karışımın cesede nasıl enjekte edileceği sorunu kalmıştı. Amador Cendejas, evindeki ağılda yarı gömülü bir şekilde bulduğu ve birkaç ay önce keçilerinden birini aşılarken kullandığı, ucu paslı tek kullanımlık bir şırınga getirdi. Ethiel Cervera, damarları ve arterleri kolayca bulabilmesi için ona, üzerinde insan bedeni çizimleri olan rengi sarıya dönmüş biyoloji notlarını ödünç verdi. Geriye bir tek Adela'ya iğneyi kimin yapacağı sorusu kalıyordu.

Justino ihtiyatlı davranıp Tomás'a "İğneyi sen yapmayacak mısın?" diye sordu.

- Yok be adam, ben korkarım... Ramón yapsın; kız onun sevgilisiydi.

Justino, Ramón'u gördüğü an genç adamın kıza iğne yapmak bir yana, şırıngayı eline bile alamayacağını anladı.

Justino işi pek çok kişiye teklif etti ama kimse kabul etmedi: 'Hayır, hayır ben yapamam, elim titrer'; 'Ya kendime zarar verirsem?', 'Hayır, olmaz. Bu Ramón'u kızdırabilir.' Sıralanan bahanelerden sonra, aynı soruyu bir de, herkesin aceleci ve sakar bildiği Torcuato Garduño'ya sormaktan başka çare kalmadı.

Köydeki kötü namına rağmen, Torcuato pek de aşılmadık bir iş başardı. Torcuato, kumaşın arasından, çıplak tenin tek bir santimetresini bile göstermeden, büyük bir incelik ve ustalıkla şırıngayı enjekte etti. İğneyi, biyoloji kitabındaki açıklamaları adım adım izleyerek ve yaptıkları karışımı enjekte etmek için en uygun yolu bularak, büyük bir dikkatle batırdı.

Çevresinde dikkat kesilip kendisini izleyen düzinelerce gözle, yaptığı işi bitirmesi birkaç dakikayı aldı. Görevi tamamladığı zaman terler içinde kalmış bir şekilde, iğneyi Tomás'a uzattı ve gözlerini ovaladı.

- Rahatsız edici bir his, dedi öfkeli bir yüz ifadesi ve kupkuru dudaklarla.

Havada alkolün, romun, ölümün ve terin güzel kokusu kaldı.

V

YENİLER

1

Öğleden sonra saat dörtte sonunda Evelia göründü. Tozlu ve ateş gibi yanan caddede Adela'nın ailesiyle beraber belirdi: Ellili yaşlarında zayıf ve güneş yanığı bir yüzü olan kadınla, yaşlı, uzun boylu, kel ve renkli gözlü bir adam...

Okula gelip salona girdiler. Kadın çabucak cesede doğru ilerledi, kederli bir ifadeyle üzerindeki örtüyü yavaşça kaldırdı ve cesedin yüzünü görünce bir çığlık kopardı. Karısının tepkisini gören yaşlı adam, cesede doğru yürüdü, gözlerini kapadı ve sessizce ağlamaya başladı.

Köyde çok az kişi Adela'yı ve ailesini tanıyordu. Onlar yenilerden, Jalisco, Guanajuato, Michoacán gibi uzak bölgelerden hükûmet tarafından, narkotik kaçaklığından sonra kamulaştırılan topraklarda çalışmak ve yaşamak için Loma Grande'ye getirilenlerdendi. Loma Grande'nin eski sakinleri bu yeni gelenlerle bir arada yaşamazdı; onları davetsiz misafirler, kendilerine verilebilecek topraklara el uzatan fırsatçı yabancılar olarak görürlerdi. Yeni gelenler -genellikle tutucu bir çevreden gelen alçak gönüllü insanlardı- özgürlükçü ve tuhaf geleneklere sahip olduklarını düşündükleri Loma Grandelilerden korkarlardı. Böylece her iki taraf da birbirinden ayrı ve uzak yaşardı.

Yeni ya da değil, Adela'nın ailesi herkesi etkiledi. Kızının cesedinin yanında yere yatmış anne feryat figan, hıçkıra hıçkıra ağlıyordu. Dizlerinin üzerine kıvrılan hüzünlü baba küçücük gözüküyordu.

Salonda kalabalığın yarattığı sessiz bir sıcak hava dalgası, dilsiz bir esinti vardı. Hiç kimse birbirine doğrudan bakmıyor, herkes sadece göz ucuyla süzüyordu.

Justino, ciddi ve dikkatli bir tavırla Evelia'ya yanına yaklaşmasını işaret etti.

- Niye bu kadar geciktin? diye sessizce sordu.

Evelia, sanki konuşmak için çok çaba harcıyormuşçasına, hırıltıyla soludu.

- Evde değillerdi, diye cevapladı, onları Bernal'da Frenk inciri toplarken buldum.

Bernal bölgedeki tek tepeydi ve Loma Grande'den oraya ulaşabilmek için dallar, dereler ve sık çalılarla dolu 5 kilometrelik bir yol gitmek gerekiyordu.

- Bana inanmak istemediler, diye devam etti Evelia, onları buraya gelmeye ikna etmem oldukça zor oldu... Bana tepeye giderlerken Adela'nın evde, yatağında yattığını söylediler.

- Uyuyor muymuş? diye düşünceli bir şekilde sordu Jacinto.

- Evet, diye onayladı Evelia.

- Peki, evden kaçta çıkmışlar?

- Hava aydınlanmaya başlamadan biraz önce çıktıklarını söylüyorlar.

Evelia'nın çevresindeki herkes onu pür dikkat dinliyordu. Mantıklı bir kadın olarak bilinir, yalan söyleyeceği düşünülmezdi. Söylediği her şey inanılır ve gerçeğe uygun duruyordu. Evalia bunu biliyor, bu yüzden de kelimelerini sakınmadan, dobra dobra konuşuyordu.

"Kalan tek kızlarını öldürdüler," derken de yine sözünü esirgemeden konuştu.

Bu cümle kalabalıktan bir uğultu yayılmasına neden oldu. Haberi duyan bazıları -pek azı- kendilerine böyle yabancı bir drama burunlarını soktukları için utanıp salonu terk etti. Geri kalanlarınsa -çoğunluğun- bu gerçeği öğrenince olayı sonuna kadar takip etme arzusu daha da arttı.

2

Çabucak dile getirilen baş sağlığı dilekleri, belirsiz bakışlar, tedbirli teselliler, küstahça sorular Ramón'un bir şeyden emin olmasını sağladı: Adela'yla olan ilişkisi artık ne bir şaka, ne de dedikoduydu; yalanlamanın gitgide daha da zorlaştığı, dakika dakika büyüyen yeni ve kesin bir gerçekti. Adela onu tuzağa düşürmüş, bir gizemin içine sürüklemişti. Ona ait hatırası zihnini karıştırıyordu. Şehvet dolu görüntüler birbiri ardına canlanıyordu: Dükkânda maydanoz satın alan, kasabanın sokaklarında kaybolan Adela'nın beyaz bluzlu, sarı etekli hâli; kıpırtısız sorguların arasına çıplak ve sessizce fırlatılmış Adela; cinayete kurban giden aile kızı Adela; kanlar içindeki Adela; onu kanıyla yıkayan Adela; babasının yüzüne, annesinin acısına yansıyan Adela. Adela, Adela, Adela. Kokladığı ve göğsüne bastırdığı Adela... Adela'ya duyduğu korku, Adela'ya beslediği aşk. Kimdi bu Adela?

Böylesi düşüncelere dalan Ramón, Adela'nın annesinin doğrulup kendisine yöneldiğini fark etmedi. Nefesini nefesinde hissedinceye kadar varlığını duyumsamadı. Sonra, kendisini dikkatle inceleyen kırışıklarla dolu bu ıslak yüze baktı ve korktu. Kadın onun bu hislerini sezmiş olmalıydı; bakışlarını yumuşattı ve tatlılıkla "Adela seni çok sevdi..." dedi.

Bu cümle Ramón'un düşüncelerine sağır edici bir darbe savurdu. Oradan uzaklaşma, Adela'yı cesedinden yayılan leş kokusuyla ve aşk yalanlarıyla bırakma, Adela'nın annesinin annesine sövme, kadını itme ve kendini rahat bırakması için bağırma, girdap gibi dönen ve onu yutan dedikodulardan kaçma, bu saçmalığa bir son verme, kendisi ve Adela hakkında söylenenlerin tek sözünün bile doğru olmadığını haykırma arzusuyla doldu. Buna rağmen, Ramón, kendisine aitmiş gibi hissetmediği uykulu bir ses tonuyla "Ben de Hanımefendi, ben de onu çok sevdim," dedi.

3

Natalio Figueroa ve karısı Clotilde Aranda, Loma Grande' ye altı ay önce gelmişti. Guanajuato, León şehrine yakın San Jerónimo isimli bir köyden geliyorlardı. Adela, hepsi ölen beş çocuklarının en küçüğüydü. En büyükleri, dört yaşındayken dizanteri yüzünden kollarında ölmüştü. İkincisi dörtnala giden bir attan düşüp boynunu kırmıştı. Üçüncüsü, on dört yaşındayken günler önce beraber kaçtığı çocukla, Bravo Nehri'ni geçmeye çalışırken boğulmuştu. Çevresinde serserilerin dolandığı bir barın önünden geçen dördüncüsünün beyni, serseri bir kurşunla dağılmıştı; dokuz yaşını doldurmak üzereydi. "Adela'yı kimin bıçakladığını bilmiyoruz," diye açıkladı Justino, "ama yakında bulacağız." Natalio bakışlarını ona yöneltmeden dinledi. Güç nefes alıyor, olanlara hâlâ inanamıyordu.

Natalio, er ya da geç katilin adının köyde duyulacağını biliyordu. Şu an için cinayeti çözmekten daha acil birtakım işler vardı.

- Bir rahip çağıramaz mıyız? diye cansız bir şekilde sordu, Adelamı kutsasın istiyorum.

Justino ona acıyarak baktı: Hayır, hayır çağıramazlardı. Kendilerine en yakın rahip Mante Şehri'nde oturuyordu ve oraya gitmenin hiçbir yolu yoktu; Loma Grande'deki iki minibüs de bozuktu ve otobüs sadece salı ve perşembe öğleden sonraları geliyordu. Atla gitmek için fazlasıyla uzun ve zorlu bir yoldu; sadece gidiş bile on saati bulurdu. Rahibi getirmek imkânsızdı. Justino, Natalio'ya bunların hiçbirini söylemedi. Onun yerine "Şimdi birini getirmeye gittiler ve Pastores'de bulunan iki gezici vaize haber yolladım," dedi.

Eninde sonunda rahip gibiler diye düşündü; onlar da dua ediyor ve insan kutsuyorlar.

Gezici vaizler Rodolfo Horner ve Luis Fernando Brehm'di. İkisi de yüzyıl başında ülkeye gelen Alman tüccarların soyundandı. Babayla oğul gibiydiler. Her pazar vaaz vermeye Loma Grande'ye gelirlerdi. Çok eskiden öğrenci bandolarında davul ve zilli tef çalarlardı. Her vuruş arasında günahkârları kötü davranışlarından arındırmak için ilahî sözcükler söylerlerdi. Hayatları boyunca birden fazla ayine katılmamış ya da 'Bizim Babamız' dışında başka dua bilmeyen insanların bulunduğu bu köye ilk geldikleri zaman insanlar onlara say-

38

gı ve hürmet duymuşlardı. Pek çoğu fazlasıyla duygulanmış; onlara yaban domuzu, tavuk ve hindi hediye etmişti. Diğerleri bütün günahlarından arınmak ve Araf'a gitmekten kolayca sıyrılabilmek için onlara suçlarını itiraf ettiler. Vaizler onları tavsiyelerde bulunarak dinliyor ve itirafta bulunmayanlara bunu bir zorunluluk olduğu için değil inançlılara katılmak için yapmaları gerektiğini açıklıyorlardı.

Zaman geçtikçe vaizler günahkârları azarlamaya, onları ilahî adaletin amansız cezasıyla tehdit etmeye başladı. İnsanlar öfkelendi ve onlarla dalga geçmeye başladılar: Tomás Lima sadece zevk için onlara sekiz adam öldürdüğünü itiraf etti; Torcuato Garduño onlara insan etinin lezzetinden bahsetti; Gertrudis Sánchez ağabeyi ve babasıyla yaşadığı aşk üçgenini tüm detaylarıyla anlatarak onları heyecanlandırdı.

Kendilerine kurulan kumpası anlamaları uzun zamanlarını aldı ve anladıkları zamanda da oldukça öfkelendiler. Tehditlerini ikiye katladılar ama böyle yaparak çok daha fazla alay konusu oldular. Yine de, her pazar Loma Grande'de vaaz vermeye devam ettiler. Gerçi genç olanı; Rodolfo Horner'i akrep soktuğu için Adela'nın bıçaklandığı pazar günü kasabada görülmediler.

Pascual Ortega onları çağırmaya geldiğinde memnun oldular. Dinî bir törene katılmaları için ilk defa davet ediliyorlardı. Sonunda, onca alaya, reddedilmeye ve güneşte yapılacak yürüyüşe katlanarak, her gün tırnaklarıyla kazıyarak yaptıkları bu zorlu iş ilk meyvelerini veriyordu. Yine de faili meçhul bir cinayete kurban giden bir kadının ruhuna dua okuyacaklarını öğrendiklerinde vazgeçtiler; bilmediklere işlere karışmak istemiyorlardı. Rodolfo'nun akrep ısırığından dolayı hâlâ hassas olduğunu ve ata binerse kötüleşebileceğini öne sürerek paçayı sıyırmaya çalıştılar.

- Zehir beynine sıçrayabilir, diye açıkladı Luis Fernando.

Pascual alaycı bir şekilde gülümsedi; hepsi tamamen yalandı. Kendisini on kereden fazla akrep sokmuştu ve tüy yutuyormuşçasına birkaç saat süren bir nefes tıkanması, sokulan yerde bir hafta süren bir iltihaplanma oluştuğunu, durumun hiç de ciddi olmadığını biliyordu.

Pascual'ın alaycı ve cüretkâr davranışı karşısında mazeretlerinin pek de inandırıcı olmadığını anladılar. Bütün gece saçma sapan bahaneler uydurmak ya da Loma Grande'ye gidip kendilerinden istenen görevi, cinayete karışmamak için mümkün olduğu kadar gizli yapmak arasında bir seçim yaptılar.

Pastores'den hava kararmaya başladığı zaman ayrıldılar. Pascual Ortega onları Loma Grande'ye en kısa yoldan; Adela'nın öldürüldüğü süpürge darısı tarlasından götürdü. Oradan geçerlerken Pascual çenesiyle onlara günün o saatlerinde pek de seçilemeyen karanlık bir leke gösterdi. "Onu burada öldürdüler," diye belirtti. Gezici vaizler atlarının üzerine iyice gömülüp kadının ruhunun kurtuluşu için birkaç dua mırıldandılar.

Köye hava karardığında vardılar. Ne okulda ne de caddede kimseyi bulabildiler: Adela'nın cesedini ailesinin evine götürmüşlerdi.

VI

SİYAH BİR ETEK VE MAVİ BİR BLUZ

1

Ramón, Natalio Figueroa ve Clotilde Aranda'nın evine girdi ve çevreye bir göz attı: Fakir bir aile eviydi; duvarlar alçıtaşıyla sıvanmıştı. Çatı palmiye ağacındandı. Ev tek odaydı. Odanın ortasında bir soba... Kenarlarda bir portatif karyola, bir de yatak... Bir masa ve üç sandalye... Kalay ve kurşun alaşımdan yapılmış mavi tabaklar... Kırmızı, plastik bardaklar... Kirli tavalar... Yanık kokusu... Büyük ve boyanmamış bir dolap... Guadalupe Bakiresi'nin ve İsa'nın çocukluğunun resimleri... Yağ doldurulmuş Nescafe kavanozlarından gaz lambaları... Biri kuzeye, diğeri güneye bakan iki pencere... Perde niyetine kullanılan pislik içinde iki kumaş parçası... Kefen niyetine kullanılan yırtık pırtık bir çarşaf ve son defa uyandığı karyolaya yatırılan Adela...

Natalio bir sandalye çekip Ramón'a oturmasını teklif etti. Ramón bu jeste minnet duydu, oturacakmış gibi yaptı ama sonunda ayakta durmaya devam etti. Diğer sandalyelerde Justino ve Evalia oturuyor; Clotilde Aranda yatak örtülerini seriyordu. İçeride sadece beşi vardı. Diğerleri dışarıda kalmış, evi çevreleyen küçük avluda toplanmıştı.

- Kahve? diye ortaya sordu Natalio. Justino ve Ramón teklifi geri çevirdiler. Bunca koşuşturmadan yorgun düşmüş ve sabahtan beri hiçbir şey yememiş olan Evelia kabul etti.

Clotilde Aranda kahve hazırlamak için ayaklandı. Gözyaşlarını sildi ve ocağa yöneldi. Hâlâ yanan közün üzerinde kilden yapılmış bir tava vardı. Ateşi canlandırmak için ocağa üfledi. Diğerleri onu sessizce gözlemlerken o, gözlerini üzerinden hiç ayırmadan suyun ağır ağır kaynamasını izledi.

Kahvenin dumanı tütmeye başladı ama Clotilde aynı şekilde durmaya devam etti. Natalio dalıp gittiği düşüncelerden kurtarmak için onu hafifçe salladı. Kadın sıçradı.

- Ne oldu?

Natalio kemikli ellerinden biriyle ocağı işaret etti.

- Kahve... Hazır.

Clotilde tavaya baktı, başını öne eğdi ve inlemeye başladı.

- Adela... Benim Adelam...

Natalio ona sarıldı, onu yatağa götürüp uzanmasına yardım etti.

Ramón nefesinin tıkandığını hissetti. Ölüm soluyan Adela küçük odadaki bütün havayı tüketiyor, havanın yoğunluğunu azaltıyordu.

- Kahve istemiyor musun?

Ramón sesin geldiği yere ve Natalio'nun elinde tuttuğu kahve bardağına baktı. Hayır, hayır kahve istemiyordu. Kaçmak, uzaklara koşmak, hatta patlamak istiyordu. Adı Adela olan bu devasa cesetten alelacele uzaklaşmak istiyordu.

- Teşekkürler, dedi ve kaynayan fincanı aldı. Bir yudum içti ve Natalio'nun kendisine daha önceden teklif etmiş olduğu sandalyeye oturdu.

Clotilde uzun süre hıçkıra hıçkıra ağladıktan sonra doğruldu ve Adela'yı gömerken ona giydirebileceği bir giysi aramaya başladı. Dolabı açtı ve içindekileri dikkatle gözden geçirdi. İki bluz çıkardı ve sanki kaybolmuş bir şeyi arıyormuşçasına her şeyi yeniden inceledi. Çaresizlik içinde bütün dolabı boşaltıp her giysiye teker teker baktı. İşini bitirince dudaklarını ısırıp yüzünü kocasına döndü.

- Siyah eteği ve mavi bluzu kayıp, dedi oldukça üzgün bir şekilde.

Her ikisi de Adela'nın gardırobunun en seçkin parçaları, onun en sevdiği giysileriydi. Onları sadece çok özel olduğunu düşündüğü anlarda, yalnızca iki kez giymişti; birincisinde on beşinci yaş günüydü ve San Jerónimo'da on beşinci yaş özel bir dansla kutlanırdı; ikincisi ise köydeki okulundan ilköğretimini tamamladığına dair bir belge verdikleri gündü. O pazar gününe kadar onları bir daha giymemişti.

Clotilde'nin huzursuzluğu siyah etekle mavi bluzu bulamayışıyla arttı. Kızını onlarla gömmeyi düşünmüştü. Kalbi kırılan kadın, başını iki yana sallayarak, boşalttığı dolabı yeniden doldurdu.

Natalio karısına doğru ilerledi. Yere atılan giysilerin bir kısmını alıp beyaz bir bluz ve sarı bir eteği bir kenara ayırdı.

- Bunları giydir, dedi ve giysileri kadına uzattı.

Clotilde onları çok değerliymişçesine aldı, göğsüne bastırdı ve uzun uzun okşadı.

Ramón yarı karanlığın içinden kadının elinde tuttuğu şeyin ne olduğunu seçebildi ve içinde bir yerlerde buz gibi bir ürperti hissetti; tanıştıkları gün kız Adela giysileri giyiyordu. Adela -diğer Adela- bir kez daha gözünün önünde belirdi; renkli gözlü, canlı bakışlı, yumuşak boyunlu, boğuk sesli, belli belirsiz bir gülümsemeye sahip Adela... Bir kez daha kırılgan, çıplak, sessiz, kucakladığı ve kendisini kucaklayan Adela... Adela; o devasa ceset Adela... Ve iki Adela'yla ölü, fazlasıyla ölü Adela'nın arasında kalan Ramón...

3

Clotilde Aranda yapamadı. Bir zamanlar 'kızım' dediği bu gitgide şişen et ve kemik yığınıyla yüzleşemedi. Ona bakmaya cesaret edemezken dokunmaya hiç cüret edemedi. Onu giydirmesi imkânsızdı. Karman çorman olmuş saçlarını taraması imkânsızdı. Ölünün gülümsemesini kendi yüzünde saklayabilmek için onu giydirmesi imkânsızdı. Natalio karısının yenilmişliğini izledi. Bundan önceki bütün ölü çocuklarını hazırlama ve kefenleme görevinin üstesinden başarıyla gelmişti. Ama Adela'yı kefene sarmak, içinden bir parçayı; sahip olduğu tek umudu da gömmek demekti.

Natalio, karısının ellerindeki sarı eteği ve beyaz bluzu sessizce alıp Evelia'ya uzattı. Evelia adamın talebini anında anladı ve bununla yüzleşmek için fazla yorgun olsa bile reddedecek hâli de yoktu. Giysileri aldı, gözlerini hafif aralayıp "Hangi ayakkabıları giydireyim?" diye sordu.

Natalio bir cevap alma umuduyla karısına döndü. Clotilde başını salladı: Adela'nın sadece bir çift ayakkabısı vardı ve onları da o sabah giymiş olmalıydı.

- Ayakkabısı yok, diye cevapladı annesi utanarak.

Evelia cesetle yalnız kaldı. Karyolanın ucuna oturdu, kahvesinden son bir yudum aldı, saçlarını çekiştirdi ve derin bir nefes aldı. Adela'nın bedenini örten çarşafı bir ucundan tutup yavaşça kaldırdı. Cenaze giysisinden kurtulan çıplak bedenden iğrenç bir koku yayıldı. Evelia burnunun kaşındığını hissedip bir eliyle burnunu kapadı. Karanlığın içindeki leş kokusu, odayı hafif bir sirke kokusuyla doldurarak, kısa bir süre sonra hafifledi. Ölünün teni -yapılan iğneyle kurumuş-kartondan yapılmışa benziyordu. Kolunda ve bacaklarında morumsu izler vardı. Buna rağmen, Adela'nın yüzü, sanki kendi sebep olduğu bu yorucu gün sonrasında dinleniyormuş gibi sakin ifadesini koruyordu.

Evelia ceset karşısında güçsüz düşmemek için bakışlarını kaldırdı. Bambaşka bir şey düşünmeye çalıştı ama başaramadı: Odanın içi ölüm doluydu. Adela'yı tek başına hazırlayamayacağını fark etti. Doğrulmaya çalışarak kollarını öne doğru uzattı. Ayakta kaldı, omuzlarını bir aşağı bir yukarı oynattı ve kapıdan çıktı.

Natalio hızla ona yaklaştı.

- Tamam mı? diye gergin bir ses tonuyla sordu.

- Hayır, hayır henüz değil... Bana yardım edecek birine ihtiyacım var.

Evelia bir adım öne çıkıp kendisini çevreleyen düzinelerce gölgeyi inceledi. Yavaşça bakışlarını birinden öbürüne doğru kaydırdı. Avluyu çevreleyen çitin yanında, hemen ileride oturan ve çocukluktan beri tanıdığı Astrid Monge ve Anita Novoa'nın siluetlerini seçti. Her ikisini de daha önce Adela' nın yanında görmüştü. Evelia onlara seslendi ve iki kız da merakla ona doğru yaklaştı.

Gecenin içinde bulanıklaşan bir çift yüze "Merhumu giydirmeme yardım eder misiniz?" diye sordu.

Birkaç dakika boyunca verecekleri cevabı düşünen kızların düzenli nefeslerini dinledi.

- Ben edemem, diye kuru bir şekilde cevapladı Anita.

Evelia yüzünü Astrid'e çevirdi ve karanlığın içinde kızın onaylarcasına başını salladığını fark etti.

4

Sessizce eve girdiler. Astrid, lambaların bulanık ışığında, karyolanın üzerine bırakılmış cesedi süzdü. Bir sinek kümesi Adela'nın yarı açık gözlerine konmuş, kızın son gözyaşlarını da içmeye çalışıyordu. Astrid'i ağız tadını bozan pelte gibi bir mide bulantısı kapladı.

Evelia sinekleri kovmak için bir bez çıkarıp salladı ama onlar cesurca uçmaya devam edip yeniden ölünün gözlerine kondu.

- Onu kaldırmama yardım et, dedi Astrid'e.

Astrid, kararlı davranabilmek için, dişlerini ve yumruklarını sıktı. Kendine geldi ve büyük bir dikkatle ellerini Adela'nın sırtına götürdü. Adela'nın buruşuk tenine değdiği

46

an ölüye dokunmakla ona bakmak arasında çok fark olduğunu anladı. Orada bulunan kişinin Adela olmadığını hissetti; en azından birkaç ay önce tanıştığı ve çok yakın arkadaş olduğu Adela değildi. Konuştuğu, gülüştüğü, sırlarını itiraf ettiği Adela o değildi. O saydam bakışlı Adela değildi. Hayır, bu karton ve macun karışımı yaratık Adela değildi.

Onun rahatsız olduğunu gören Evelia "Üzülme," dedi, "O zaman ben de üzülürüm ve onu giydirecek kimse kalmaz."

- Ben iyiyim, diye hüzünlü bir şekilde cevapladı Astrid, sadece onu böyle görmeye alışık değilim.

Evelia kıza bluzu gösterdi.

- Acele etsek iyi olur.

Astrid, Adela'nın başını okşadı.

- Geçen gün saçını örmemi istemişti, dedi melankolik bir ses tonuyla.

Uzaktan bir tokmak sesi duyuldu.

- Âşıktı, diye mırıldandı onu okşamaya ara vermeden.

- Kime âşıktı? diye sordu Evelia.

- Bilmiyorum.

- Ramón'a mı?

- Kim bilir… Bilmiyorum…

Astrid konuşmaya devam etmedi. Ağlamamak için dudaklarını sıktı ve kartondan bedeni giydirmek için kaldırdı.

47

Jacinto Cruz tabutu çakma işini bitirdi ve tahtanın içini zımparayla düzleştirdi. Tabutu Jeremías Martínez'in son yıllarını geçirdiği terk edilmiş evden artakalan kerestelerden yapmıştı. Loma Grande'de ihtiyaç duyulan bütün tabutları bu evden kalanlarla hazırlamışlardı.

Pascual tabutu taşımak için at arabasını getirdi. Bir sıçrayışta arabadan inip Jacinto'ya yöneldi.

- Rahipleri getiriyorum, dedi; gezici vaizleri kastediyordu, ölü kız da giydirilip hazırlandı. Bir tek tabut eksik.

- Bir de çukur kazmak, diye ekledi Jacinto.

Pascual hiç istemediği hâlde, gülümsedi. Tabutun etrafında özenle yürüdü.

- Baksana, biraz büyük olmamış mı?

Jacinto yaptığı tabuta baktı ve başını salladı.

- Hayır, boyutu iyi.

Pascual iki adım attı.

- Tabut iki bacak boyunda, dedi, kız o kadar uzun değildi.

Jacinto aysız gökyüzüne baktı ve yüzünü yavaşça Pascual'a çevirdi.

- Ölülerin bekledikçe büyüyüp genişlediğini söylerler, dedi.

- Evet, öyle derler, diye mırıldandı Pascual. Tabutu bir ucundan tuttu ve Jacinto'ya diğer uçtan tutmasını işaret etti.

VII

KATİL

1

Adela'yı, cinayet mahalline yakın, Guayalejo Nehri'nin kıyısındaki eski mezarlığa gömdüler. Yağmur yağdığı zaman nehirden taşan suların onu sürüklememesi için oldukça derin bir çukur kazdılar. Pek çok kişi için gördükleri en üzücü gömüydü; hatta bunlara kasabanın kurucuları Bayan Paulita Estrada ve Bay Refugio López de dâhildi. Ne bir çığlık ne de kederli bir inleme duyuldu. Aysız bir gece ve derin bir sessizlik vardı.

Hâkim olan şaşkınlığın etkisine kapılan vaizler kısa ve öz bir veda sözcüğüyle bir dua mırıldandılar. Cenaze töreni bittiğinde insanlar gruplar hâlinde dağılıp otların istila ettiği karanlık patikaların içinden geçerek Loma Grande'ye doğru yola koyuldular. Erkeklerin çoğu Ramón'a dükkâna kadar eşlik etti. Hâlâ aklanması gereken şeyler vardı ve bunu elinde soğuk bir birayla yapmaktan daha iyi bir yol olamazdı.

Ramón gecenin kendisi için daha yeni başladığını biliyordu. Görünmez bir aşk ilişkisinin içinde tuzağa düşürülmüştü ve 'korkak' ya da 'adam değilsin' şeklinde yaftalanmadan bundan sıyrılmanın, bu romantizmi inkâr etmenin bir yolu yoktu. İleride bu hayalî geçmişi gerçekmiş gibi yaşamak zorunda kalacaktı.

Loma Grande'deki olaylar, bir suç söz konusu olsa bile, ne doğrudan ne de kati bir şekilde çözülürdü. Önce birtakım yavan konuşmalar yapılır, olayın özüne ancak ondan sonra, yavaş yavaş inilirdi. Bu yüzden Justino Téllez -serinlemek için ağız dolusu bira içtikten sonra- Lucio Estrada'ya CONASUPO'nun[2] süpürge darısının tonuna kaç para ödediğini sordu.

- Üç yüz elli bin peso, diye hissedilir bir öfkeyle cevapladı Lucio.

- Bu kazıklamanın da ötesinde, diye haykırdı Macedonia Macedo, bu fiyatlarla hasat toplamaya bile değmiyor.

- Tohum için bile para ödemiyor, diye araya girdi Torcuato Garduño.

- Harman makinesinin kirasını bile ödemiyor, diye ekledi Amador Cendejas.

Takma adı "Yârenlik" olan Ranulfo Quirarte "Ve bu yüzden artık hiçbir şey ekmiyor," dedi. Ona bu lakabı takmalarının sebebi konuşmaktan aldığı zevk ve geçimini, geceleri bir bisikletin üzerine çıkıp fener yardımıyla, 16 kalibrelik av tüfeğine benzer bir silahla avladığı geyikleri satarak sağlamasıydı.

- Biz de artık ekmeyeceğiz, diye teminat verdi Lucio ve Pedro Estrada'nın küçük kardeşi Melquiades, artık kara borsa balık satacağız.

---

[2] *Compañía Nacional de Subsistencias Populares*: Temel Gıda Maddeleri Şirketi.

- Avlanarak yaşamak için dört kayık satın aldık, diye ekledi Lucio.

- Orada çok fazla karagöz balığı var, öyle değil mi? diye sordu Justino Téllez.

- Oldukça fazla, diye onayladı Melquiades, geçen hafta iki yüz kilo çıkardık.

- Hâlâ fileto yapıyor musunuz? diye sordu Justino.

- Hayır, diye cevapladı Lucio, bıçağımı çaldıklarından beri yapmıyorum.

- Hangi bıçak?

- Bay Larre'nin bana hediye ettiği keskin, ince bir bıçak.

- Bay Larre mi?

- Evet; Meksika'dan kaz avlamaya gelen avcı. Uzun boylu, iri yarı bir adam.

- Aaa, evet.

Justino birasından büyük bir yudum daha aldı, onunla ağzını çalkalayıp tükürdü.

- Peki, bıçağı kimin çaldığını düşünüyorsun?

Lucio bu soru karşısında gülümsedi.

- Bilmem ki... Bilseydim ondan geri alırdım.

Justino Téllez "Keşke bilseydin," diyerek konuşmasını sürdürdü, "çünkü bence kızı o bıçakla öldürdüler."

Lucio ve diğerleri sessizliğe gömüldü. Ramón onu gördüğünü hatırladı. Justino haklıydı; sadece o büyüklükte ve o keskinlikte bir bıçak Adela'yı öylesi düzgün kesebilirdi.

Torcuato Garduño konuyu değiştirdi.

- Bence, dedi güneye bakarak, önümüzdeki hafta yağmur yağacak.

- Doğru, diye devam etti Macedonio, üç gündür bir *huasteco*[3] rüzgârı esmeye çalışıyor.

- Biraz ıslansak fena olmazdı, dedi Amador Cendejas, süpürge darıları doğrulurdu.

- Kör olası süpürge darısı, diyerek araya girdi Torcuato; bana üç yüz elli peso ödediklerini bildiğim hâlde neden hâlâ yetiştiriyorum ki...

- Ethiel'in yaptığı gibi yalancı safran yetiştirmeliydik, dedi Pedro Salgado.

- Gerçekten de öyle, diye bildirdi Justino, bir tonuna iki katı para ödüyorlar ama süpürge darısı yetiştiriyoruz işte, elden ne gelir?

Ona karşılık veren olmadığında konuşma birkaç saniyeliğine sona erdi. Sessizliği Torcuato bozdu.

- Bahse girerim saat onu yirmi geçiyordur.

Herkes ona şaşkınlıkla baktı.

---

[3] Meksika'nın Tamulipas, San Luis Potosí ve Veracruz bölgelerinde yaşayan Maya kökenli bir kabilenin üyeleri.

- Bahis, diye ısrar etti Torcuato.

- Ne için? diye sordu Pedro Salgado.

- Çünkü her saati yirmi geçerken bir melek geçtiği söylenir; insanlar o anlarda sessizleşir.

- Gerçekten de saat onu yirmi geçiyor.

Torcuato zafer kazanmışçasına gülümsedi.

- Geliyorlar, dedi.

O sırada üzerlerinden bir melek daha geçti: Yeniden sessizliğe gömülmüşlerdi. Ranulfo Quirarte, Yârenlik, meleği gözden kayboluncaya kadar izledi ve birden "Kızı kimin öldürdüğünü biliyorum," dedi.

- Nereden biliyorsun? diye sordu Marcelino Huitrón.

Yârenlik, onu birasından aldığı iki yudum arasında cevapladı.

- Çünkü az önce yalancı safrandan konuşurken dün gece fenerimle Ethiel'in topraklarında dolaştığımı hatırladım. Hiç geyik göremediğimden nehrin kenarındaki küçük çalılığa yöneldim...

Yârenlik birasından bir yudum daha alabilmek için cümlesini yarıda kesti. Elinin tersiyle bıyığına bulaşan köpüğü temizleyip konuşmaya devam etti:

- Arazide birinin yürüdüğünü gördüğümde ışıklarını söndürmediğim bisikletime biniyordum. *Sporlain*'i[4] yaktım;

---

[4] Lamba markası.

50 metre ileride bir piçin yırtık bluzlu bir kadını sürüklediğini gördüm...

Yârenlik, öyküsüne yeniden ara verdi. Nadiren böylesi dikkat kesilen dinleyicileri olurdu ve bunu boşa harcamak istemiyordu.

Ramón'a "Biram bitti," dedi; "bana yenisini verir misin?"

Ramón dükkâna girip buzdolabından bir bira çıkardı. Şişeyi bir bezle temizleyip açtı ve adama uzattı. Ranulfo hikâyeye yeniden başladı:

- ... Sanırım onları korkuttum çünkü yavaş yavaş çalılığa doğru ilerlediler. Amberağaçlarına girdiklerini görünce ışığı söndürdüm çünkü 'beni ilgilendirmeyen işlere ne diye burnumu sokuyorum?' diye düşündüm. Sizler de beni ilgilendirmeyen bir şeyin peşine düşmemin çok çirkin bir davranış olduğunu kabul edersiniz, öyle değil mi?

Yârenlik'in konuşması sırasında kendisine bakmakta olan Justino başıyla onayladı; diğerleri de aynısını yaptı.

Ranulfo devam etti:

- Burnumu sokmak istemesem de adamın kim olduğunu gördüm; Çingene'den başkası değildi.

Hiç kimsenin, çoğunlukla olduğu gibi, konuyu değiştirmeyeceğini ve sözünü kesmeyeceğini bilen Yârenlik konuşmasına bir kez daha ara verdi. İçtiği biranın tadını çıkarıp devam etti:

- Dün gece onun yanındakinin kim olduğunu bilmiyordum. Yani ölü kız gözüme ilişinceye kadar...

Justino ona sorgularcasına baktı:

- Yalan söylemiyorsun, değil mi?

Ranulfo haç yaptığı parmaklarını öptü.

- Tanrı aşkına, hayır…

- Peki bu saat kaç gibi oldu? diye sordu Marcelino.

- Sabahın dördü beşi gibi, diye anında cevapladı Yârenlik.

Lucio Estrada elini alnına götürdü.

- Bıçağımı çalanın o piç Çingene olduğunu şimdi hatırladım, dedi, bunu onun yaptığından eminim.

Torcuato onlara katılan üçüncü kişiydi.

- Kızı o orospu çocuğu öldürdü. Öyle olmasaydı burada bizimle oturup sohbet ediyor olurdu. Ayrıca onu dünden beri görmüyorum.

Gecenin devamında soğuk biralar oradaki adamların düşüncelerini ısıttı.

VIII

GABRIELA BAUTISTA

1

Gece. Sıcak, ateşkes imzalayacağa benzemiyordu. Toz da öyle... Sıcak ve toz vücutlara bulaşıyordu. Tenlerden terli toprak damlıyordu. Sivrisinekler ve küçük sinekler kımıltısız, kavurucu havada asılı kalıyordu. Sürekli vızıldıyor ve doymak bilmeden sokuyorlardı insanları. Üçlü bir çakal grubu dağlarda uluyordu. Dar geçitlerdeki çakılların arasında çıngıraklı yılanlar kıpırdanıyordu. Hayvanlar baklagillerin orada toplanıyor, karanlığın içinde bile yakan güneşten korunuyorlardı. Uzaktaki nehir durgun, dinleniyordu. Ve sıcak; lanet sıcak her şeyi boyunduruğu altına alıyordu.

Gabriela Bautista uyumuyordu; duyduğu kaygı uyumasına izin vermiyordu. Korku da öyle... Her an kocasının dönüp kendisini döveceği hatta öldüreceği kaygısını taşıyordu. Ne kaçacak ne de saklanacak bir yeri vardı. Kocasının bilmediğine dair küçücük bir umut besliyordu, ama hayır, bu saatlerde sadakatsizliğinden haberdar olmuş olmalıydı. Gecikmesinin nedeni Çingene'yle yüzleşmeye gitmiş olmasıydı.

Kapı gıcırdadı. Gabriela Bautista yatağın arkasına çömeldi. Gelen oydu ve kendisini öldürecekti. Çok yavaş ilerleyen bir dakika, sonra da bir ikincisi geçti. Gıcırtı tekrarlanmadı. Gabriela Bautista başını yatağa koydu ve gözlerini kapadı. Çok içerilerden bir yerden terliyordu. Bu, bir gece önce, kendilerine yönelen arsız bir ışıkla Çingene'nin bedenine değen bedenini baştanbaşa dolanan terin aynısıydı. Adsız, ısrarcı, sessiz bir ışık onları gecenin ortasında durdurup çıplaklıklarını incelemişti.

- İyi akşamlar, diye bağırdı Çingene dilsiz ışığa.

Cevap veren olmamıştı; sadece sessizlik ve ışık vardı. Gabriela Bautista, Çingene'nin arkasına saklanmış ve terlemişti; korkudan terliyordu.

- İyi akşamlar, diye yineledi Çingene.

Hiç cevap yoktu. Sadece ışık, sessizlik ve sessizliğin onları avlıyor olmasının yarattığı soğuk his...

Çingene karanlığın içinde bir silahın parlaklığını seçebildi. Gabriela'yı çalılığa doğru itti ve ikisi de koşmaya başladı; ışıkla ışığın arkasındaki kimliği belirsiz kişi de onları takip ediyordu. Işık çalılığın içine girmekten vazgeçinceye kadar, tökezleyerek, ayaklarını devedikenleriyle yaralayarak, kollarını ve bacaklarını dallara çizdirerek koşabildikleri kadar koştular. Düzensiz soluk alıp vererek ve gecenin sıcaklığıyla yıkanarak bir palmiye ağacının yaprağı altına sokuldular. Tek bir söz bile söylemediler. Kadın, adamın yanına yanaştı; adam kadını öptü, okşadı. Gabriela Bautista önce karşılık vermedi, sonra her seferinde kendinden daha çok korkarak adamı öpüp okşamaya başladı.

Seviştiler. Sevişmeleri sonra erince Çingene doğruldu, pantolonunu ilikledi ve amberağaçlarının içinde gözden kayboldu. Kadın kımıltısız ve sessiz öylece durdu; seksten ve korkudan çamur içinde kalmıştı. Çingene'nin kamyonunun yarığın içinden uzaklaşan motor sesini duydu. Sesin alacakaranlıkta kayboluşunu dinledi. Ayağa kalktı, elbisesini silkeleyip giyindi. Özensiz, güçsüz adımlarla yürümeye başladı. Onu görmüşlerdi ve kaçacak yeri yoktu. Eve gitti ve saklanabileceğini düşündüğü tek yere; yatağın arkasına saklandı. Bütün pazar gününü orada kapı gıcırtısını dinleyerek geçirdi. Kapının açıldığını ve içeriye kocası Pedro Salgado'nun girdiğini gördü.

2

Göle kadar geldi. Kamyoneti yola bakan bir yerde durdurdu. Motoru susturdu ve koltuğa uzandı. Birer birer Gabriela Bautista'nın öpücüklerinin tadını anımsadı. İkisi de birbirleri için çıldırıyordu ama bir süre Loma Grande'ye dönemeyeceğini biliyordu. Haberleri beklemeli ve kasabada bir tartışma yaşanmadığından emin oluncaya kadar dönmemeliydi.

Araçtan indi ve nehrin ucuna kadar yürüdü. Bilekleri, alnı, kolları ve elleri çizik içindeydi. Giysilerini çıkardı, hepsini topak yapıp bir süleyman bitkisinin altına sakladı. Soğuk suya girdi ve onları temizlemek, kaşıntıyı azaltmak için sıyrıklarına su çarptı. Bir çamur ördeği sürüsü alçaktan uçarak geçti. Kanat sesleri onu korkuttu ve geriye doğru sıçramasına neden oldu. "Lanet şeyler," diye düşündü; hâlâ gecenin etkilerini taşıyordu.

Yaralarından birini ovuşturdu. Bir süre suyla oynadı ve elleriyle küçük balıkları yakalamaya çalışarak eğlendi. Sudan çıktı, gömleğiyle kurulandı ve pantolonunu giydi. Çıplak kalmak istemedi. Pazar sabahıydı ve arada sırada kamyonunun yanından arabalar geçiyordu. Göl kenarındaki kayalardan birinin üzerine uzandı ve uyudu.

Neredeyse hiç kimse gerçek adını bilmiyordu; José Echeverri-Berriozabal. Çoğunluk ona sadece Çingene diyordu. Tampico'da doğmuştu, Basklı bir denizcinin ve Elite'de garsonluk yapan bir kadının piç oğluydu. Uzun boynunu ve yeşil gözlerini babasından; geniş kemiklerini, inceliğini, atletik yapısını ve hayatındaki belirgin şanssızlığı annesinden almıştı.

Gençliğinden beri evli kadınlarla takılırdı. Tercih sebebini hiçbir zaman açıklamamış ama arkadaşları bunu hiç evlenmemiş oluşuna vermişti. On beş yaşındayken öfkeli bir kocadan sıkı bir dayak yedi. Çingene, sırtındaki beş kesiğin acısına rağmen hayatta kalmayı başardı. Yaraları iyileşti ve izlerini gururla taşıdı.

Üç yıl sonra bir gümrük memurunun karısıyla ilişkiye girdi. Adam onları yatakta yakaladı, 32 kalibrelik bir Browning çıkardı ve genç âşığın göğsüne üç el ateş etti.

İyileştiği zaman intikam alacağına yemin etti. Kendisini vuran adamın Tempoal'e kaçtığını biliyordu. Onu aramaya gitti ama adamı bulamadı. Onun yerine, yatacak yer karşılığında kendisini ilan dağıtma işiyle tanıştıran bir komisyoncuya rastladı. O günden sonra Çingene takma adıyla köy köy dolaştı.

Bir süre sonra Tayvan'da üretilen ıvır zıvırların kaçakçılığını yapmanın faydalarını keşfetti. Bir tava kârı ikiye katlıyorsa, kuvars bir saat altıya katlardı. Kazancını yerel polis, hükûmet, federaller, belediye başkanları ve temsilcilerle bölüşmek zorunda kalsa da oldukça iyi para kazanıyordu.

Biriktirdiği parayla alüminyum kasa bir Dodge kamyonet ve Tampico'da küçük bir ev alabildi. Gerçi hiçbir zaman sabit bir mekânda kalmadı. Geceyi ya yol kenarına çektiği kamyonunda geçiriyor ya da ev ve yemek karşılığında elindeki malları takas ediyordu. Ocak ayının bir akşamında Gabriela Bautista ile ilişkisine başlayıncaya kadar Loma Grande'ye düzenli olarak sadece yılda iki kez gidiyordu. O andan sonra ziyaretleri sıklaşmış, ayda bire çıkmıştı.

Loma Grande'de yaşlı, kör bir köylü olan ve Çingene'nin hediye ettiği kasetçalarla karanlığıyla mücadele etmenin yeni bir yolunu bulan Rutilio Buenaventura' nın evinde kalıyordu. Bunun karşılığında Rutilio ona kalacak yer ve arkadaşlık veriyordu; yemek veremiyordu çünkü kendisine kalan bir düzine tavukla ancak hayatta kalabiliyordu. O kadar yakın arkadaş olmuşlardı ki Çingene'nin Loma Grande'ye gelmeye böyle heves etmesinin sebebini sadece o yaşlı adam biliyordu.

3

Ranulfo Quirarte'yi, Yârenlik'i zehirleyen biralar değil yalanlar oldu. Çingene ve Adela'nın öyküsünü, konuşmaya devam etmek, dikkati üzerine çekmek ve sonunda kendi zevkine göre bir dedikodu yaratabilmek için uydurmuştu. Palavraları ona onarılamaz bir sarhoşluk yaşattı; içinden çıkamayacağı ve çıkmak istemediği bir yığın yalan... Söyledikleri o kadar zehirliydi ki sonunda doğru olduklarına inandı. Artık gerçeğin bir önemi yoktu. Artık onun söyledikleri geçerliydi.

Nehrin yanındaki o kuytu yerlerde değil de Bernal Dağı'nın eteklerini çevreleyen amberağaçlarının oralarda avlandığını sadece kendisi biliyordu. Gecenin içinde aydınlanan yarı çıplak bedenin, göğüslerin ve utangaç yüzün, kalbinden bıçaklanan kıza değil de Gabriela Bautista'ya ait olduğunu sadece kendisi biliyordu. Işığın aydınlattığı bedenlerin, kurbanını sürükleyen bir katile değil de birbirini arzulayan bir çifte ait olduğunu sadece kendisi biliyordu.

Ranulfo bu aldatmacının gitgide daha şiddetli ve tehlikeli bir hâle geldiğini, artık onu dizginlemenin bir yolu olmadığını hissetti. Yalanlarıyla kasabanın diğer adamlarını da sarhoş etmişti; Çingene herkesin gözünde suçlu konumuna düşmüştü. Yeni gerçek buydu ve Ranulfo sonsuza kadar buna inanmak zorundaydı.

4

Kaburgalarında bir akrebin dolaştığını hissetti ve elini göğsüne götürdü. Onu uyandıranın aslında bir ter damlası olduğunu ancak o zaman fark etti. Uykunun ağırlığından sıyrılmak için gözlerini birkaç defa açıp kapadı. Artık uyanmıştı ama taşlara çarpan suyu fark edinceye kadar nerede olduğunu anlayamadı. Çingene, başını kaldırıp karnındaki suya yansıyan güneşe baktı. Uyuşmuş sol bacağına yüklenmemeye çalışarak birden doğruldu. Gölden hafif bir rüzgâr esiyordu. Ensesindeki teri kurutmak için başını salladı. Bakışlarını gökyüzüne yöneltti ve öğlen olduğunu fark etti. En az beş saat uyumuştu. Güneşin altında bu'kadar çok kaldığı için dudakları kurumuştu. Dudaklarını yaladı ve yanan göz kapaklarını tükürüğüyle ovaladı. Karıncalanmayı geçirebilmek için uyuşmuş bacağına masaj yaptı. Buna uzun süre devam etti. Herhangi bir rüya hatırlamaya çalıştı ama hiçbiri aklına gelmedi. Yine de Gabriela Bautista'nın öpücüklerinin serinliğini hâlâ dilinde hissedebiliyordu ve rüyasında da onu gördüğünü düşünüyordu.

Çingene pantolonunu çıkardı, göl kıyısına kadar koştu ve bir hamlede suya daldı. Su ılık da olsa onu kavurmaya başlayan sıcağı biraz azalttı. Sırtüstü yüzmeye başlayıp oldukça alçaktan uçan perde ayaklı kuşları izledi.

Acıkıncaya kadar gölde oynadı durdu. Sudan çıktı ve güneşte kuruyabilmek için bir taşın üzerine oturdu. Toprağı sabanla süren traktörlerin sesini duydu. Bu sesi seviyordu; ona koydaki limanda gemilere yük taşıyan römorkörlerin sesini hatırlatıyordu. Giyindi ve kamyonete doğru yürüdü. Kapıyı açtı, radyoyu çalıştırdı ve bir istasyon ayarlamaya çalıştı. Tampico'da çocukken dinlediği bir istasyonu seçti. Sesi açıp kamyonetin arka tarafına geçti. Bir kutuyu karıştırıp içinden ton balığı, jambon, mayonez, acı biber ve bir paket Bimbo marka ekmek çıkardı. Bir çırpıda yiyip bitirdiği dört sandviç hazırladı. Portakallı Squeeze alıp onu içmek için kaputa oturdu. Radyoda "Acı Çekenlerin Zamanı" yayınlanıyordu. Gerçek erkeklerin bir kadını hiçbir zaman terk etmeyeceğini ve 'acı çekenlerin' kadınların isteklerini anlamaktan aciz bir grup aptal olduğunu düşündü. Onun fikrine katılmayan sunucu, eşlerinin kendi yoluna gitmesine izin veren bu soylu ve cömert erkekleri övüyordu.

Sunucu kayıp aşkın güzelliği hakkında saçmalamaya devam edince Çingene önceki geceyi yeniden anımsadı. Gabriela ile geçen her gece bir öncekinden daha yoğun oluyordu ve Gabriela, her seferinde kendini daha suçlu hissedip, Çingene'den kendisini huzur içinde bırakmasını, Loma Grande'den uzaklaşmasını, böylece huzurlu kalabilmeyi, kendisini çevreleyen huzurda Çingene'nin gelip o huzuru tekrar kaçıracağı geceyi iple çekerek boğulabilmeyi istiyordu.

"Saat ikiyi elli geçiyor ve şimdi Huracanes del Bravo'dan 'Artık o ağacın yanına gitmiyorum[5]' adlı şarkıyı dinliyoruz," dedi sunucu tatlı bir sesle.

Çingene bir hamlede kaputtan atladı, meşrubatın kalanını da bitirdi ve direksiyonun başına geçti. Düşündüğünden de geç olmuştu. San Fernando'ya gidip kaçak teypler alması gerekiyordu. Acele etmezse oraya gece yarısı ulaşır ve sevkiyatı yapacak olan adamı bulamazdı. Yeniden bağlantı kurmak da çok zor olurdu.

Radyoyu kapatıp motoru çalıştırdı. Direksiyonu sağa doğru kırmaya başladı ama birden durdu. Bir süre düşüncelere daldı. Gabriela'nın öpücüklerini tadı hâlâ ağzındaydı. Hiçbir kadın onu bu kadar heyecanlandırmamıştı; her gün onu düşlüyor, onu düşünüyor ve teni onun tenini arzuluyordu.

---

[5] "Yo ya no me arrimo a ese árbol"

Yavaşça direksiyonu sola; Loma Grande'nin ana caddesine çıkan yola kıvırdı. Gaz pedalına tek bir düşünceyle basıyordu; Gabriela Bautista'yı kaçırıp Tampico'ya kapamak... Kamyonu kararlılıkla sürüyordu. Aniden frene bastığında bir kilometre yol gitmişti. Bakışlarını ufka dikti. Derin bir nefes aldı, geri vitese taktı, kamyonu çevirdi ve tam ters yöne doğru yola koyuldu.

5

Pedro Salgado kapının arasından süzülüp eve girdi. Gabriela Bautista ona korku dolu gözlerle baktı. Pedro'nun gaddar bir adam olduğunu biliyordu. Kendisini öldürecek olsa bunu gösterişsiz bir şekilde yapardı. Tıpkı tek ve özensiz bir hamleyle Gabriela'ya arsızca bakan kasabanın yabancısı bir çocuğun boğazını tırpanla deştiği gibi. Çocuk cerrahi aletlerin yokluğunda bir veteriner hekiminin, boğazını olta iğnesiyle dikmesiyle mucizevi bir şekilde hayatta kalmıştı. Hayır, Pedro Salgado aldatılacak bir insan değildi. Bunu hem o zaman hem de başka pek çok durumda göstermişti. Bunlara rağmen Gabriela onun iyi bir koca olduğunu düşünüyordu; şefkatli, çalışkan, sorumluluk sahibi ve sadece hafta sonları sarhoş olan bir adamdı. Ona asla elini kaldırmamıştı ama kendisini ilk aldatışında kadını parçalara ayıracağını söyleyerek tehdit ederdi. Gabriela onun bu tehdidini kesinlikle gerçekleştireceğini biliyordu.

Pedro yatağın arkasında diz çökmüş duran karısına baktı ve şaşırtıcı bir şekilde "Orada ne arıyorsun?" diye yüksek sesle sordu. Gabriela bunu bir vahşet başlangıcı olarak yorumladı.

- Çoraplarımı arıyorum, diye hiç düşünmeden cevapladı.

- Buldun mu?

Gabriela sadece cılız bir 'Hayır,' diyebildi.

Pedro masaya doğru yürüyüp ahşap iskemlelerden birine oturdu.

- Bana kahve koy ve yumurta pişir; karnım aç.

Gabriela, Pedro'ya korkuyla baktı. Ayağa kalktı, fincana kahve koyup adama uzattı. Pedro kahveye dört kaşık şeker attı ve ağır ağır içmeye başladı.

- Bütün gün neredeydin? diye duygusuzca sordu.

Gabriela elindeki yağ şişesini devirdi ve Pedro'ya döndü. Bakışlarında öfke izi aradı ama sadece iki gündür devam eden sarhoşluğun etkileriyle karşılaştı. Kaşlarını kaldırmış, ağzını açmış duran Pedro cevap bekliyordu.

- Dün geceden beri dışarı çıkmadım, dedi Gabriela sakince.

Pedro, karısını baştan ayağa süzdü.

- O hâlde bilmiyorsun? diye sordu şüpheci bir tavırla.

Gabriela'nın içine yeniden korku yerleşti. Pedro yalan söylemesi için kendisini kışkırtıyor muydu, yoksa gerçekten onu masumca mı sorguluyordu; emin olamıyordu. Şüphe onu korkuttu.

- Neyi? diye sordu tereddütle.

Pedro ayık olsaydı karısının gerginliğini anında fark ederdi ama sarhoşluğunun verdiği uyuşuk uysallıkla sadece "Kuzenim Ramón'un sevgilisini öldürdüklerini," diyebildi.

Gabriela korkusunun yavaş yavaş azaldığını hissediyordu ve sonunda sesinin titremesine engel olabildi.

- Hangi Ramón? Dükkândaki mi?

Pedro başıyla onayladı. Rahatlayan Gabriela arkasını dönüp yumurta pişirmeye başladı. Çok yorgun olan Pedro, neredeyse orada uyuyacakmış gibi, masaya doğru kayıyordu. Gabriela yumurtaları bir tabağa alıp kocasının önüne koydu. Pedro onları kokladı ve canlanmak için gözlerini ovaladı.

- Bana ekmek ver, dedi. Gabriela poşetin içinden çıkardığı ekmeği ona uzattı. Pedro ekmeği ufak parçalara ayırdı ve yumurtanın sarısına bandı.

Gabriela, Pedro'nun üzerinde sadece tişört olduğunu fark etti.

- Gömleğine ne oldu?

Pedro'nun ağzına ekmek götüren eli havada kaldı.

- Kuzenime ödünç verdim, diye cevapladı birkaç saniye sonra, cenazede giyecek bir şeyi yoktu.

Gabriela, masum rolü oynamaya çalışarak:

- Ramón'un sevgilisinin adı neydi? diye sordu.

- Adela, diye cevapladı Pedro.

Gabriela ismi aklından geçirdi.

- Adela?

- Evet, dedi Pedro, ama onu tanıdığı sanmıyorum; yeni gelenlerdendi.

- Hayır, tanımıyordum.

Pedro daha sonra büyük bir iştahla yiyebilmek için yumurta sarısına ekmek banmaya devam etti.

Gabriela, adamın içinde gizlediği kıskançlığın yüzeye çıktığı bir an arayışıyla onun her hareketini dikkatle inceliyordu ama hiçbir şey bulamadı. Sakin bir şekilde son soruyu sordu:

- Onu kimin öldürdüğünü biliyorlar mı?

Pedro çabucak cevap verebilmek için kahvesinden aldığı yudumu hızla yuttu ve sözcüklerin üzerine basa basa cevapladı:

- Evet... Çingene...

Gabriela Bautista'nın dili tutuldu ve yeniden içten içe terledi.

IX

DİĞERLERİNİN GECESİ

1

Astrid Monge, gece boyunca, ne gözlerindeki soğuk bakışı ne de arkadaşının cesedinin hafızasına kazınan görüntüsünü silebildi. Akşam yemeği yemek istemiyordu; hâlâ kokuşmuş bedenin kokusunu duyuyordu. Onu bu denli üzgün gören annesi şakaklarına sakinleştirici bitkiler bastırıp kızının kaygısını hafifletmek istedi ama başarılı olamadı; kızı ölünün verdiği acıya saplanmıştı.

Adela durup dururken yok olmuştu ve -onu giydirirken kızın ellerinin arasında donduğunu hisseden- Astrid buna bir türlü inanamıyordu. Adela'nın ölümü hayatında bir boşluk yaratmıştı. Yeni tanışmalarına rağmen çok yakın arkadaş olmuşlardı. Kadınların konuşmayı hayal bile edemeyeceği şeyleri paylaşıyorlardı. İtirafları başlatan Astrid olmuştu. En gizli sırlarını; edepsiz düşlerini, beklenmedik arzularını anlatmıştı. Kısa bir süre içinde sıradan gençlik sırlarının yerini Adela'nın bitmek bilmez hikâyeleri almıştı. Suskun genç kız alçak gönüllü tavırlarıyla damarlarında dolanan ateşli kanı saklamayı bilmişti. "Tutku izleri" olarak adlandırdığı izleri bedeninde bırakan kişinin adını hiçbir zaman söylemese de yavaş yavaş Astrid'e onu içten içe parçalayan aşk özlemlerini anlatmaya başladı. Bedeninde çizikler, ısırıklar, göğüs uçlarının, göbek kıvrımının altında, kalçalarının arasında, saçıyla gizlediği ensesinde morluklar vardı; Adela tatmin olmuş dişiliğini böbürlenerek gösterirken Astrid onu şaşkınlıkla izliyordu.

Adela, sevgilisinin kimliğini hiçbir şekilde açığa çıkarmadan, "Âşığım, sırılsıklam âşığım," diye tekrarlayıp duruyordu. Astrid, Adela'nın evli bir adamla beraber olduğunu ve onunla her gün -şafak vaktinden hemen önce- nehir kenarındaki çalıların arasında buluştuğunu geç anladı.

Adela'nın ailesi kızlarının bir ilişkisi olduğunu tahmin ediyordu. Bunu sadece kızın değişen ruh hâlinden ve ani neşesinden anlamıyorlardı, aynı zamanda annesi Adela'nın hayalet sevgilisine yazdığı aşk mektuplarını okuyup onları saklı oldukları yere, Adela'nın yattığı karyolanın altına geri koyduğundan da biliyorlardı. Çocuklarını tehlikelere ve günahın kötülüklerine karşı uyaran dindar Katolikler Adela'nın her güne orgazm olarak başladığından hiçbir zaman şüphelenmediler. Mektuplarda böyle bir olasılığın izi yoktu; daha çok dürüst ve güvenilir bir sevgiliyle yaşanan bir ilişkinin yarattığı şaşkınlıkla yazılmışlardı; zaten kızlarının hâlinden de böyle bir ilişkinin varlığı anlaşılıyordu.

Bir gece ilişkiyi neden gizli tuttuğunu öğrenmek için kızı sorguya çekmeye karar verdiler. Adela sorulara sakince cevap verdi; sevgilisinin kendi köylerinde oturduğunu, yaşıt olduklarını, kendisine saygı duyduğunu, niyetinin ciddiyetini ve -öldürüldüğü- pazar günü onu kendileriyle tanıştıracağını söyledi.

Adela, yarattığı karmaşadan kurtulabilmek için Astrid'in kardeşinden bir, iki günlüğüne sevgilisiymiş gibi davranmasını istemeyi düşündü. Fakat bilgeliğinden, acısından ve biraz da utandığından buna cüret edemedi.

Ailesi, Adela'nın anlattığı masum hikâyeyi baştan sona yuttu. Onun kontrolden çıkmış aşk ilişkisinin sırrını sadece Astrid paylaşıyor ve Adela'nın gizemli sevgilisiyle Sierra de Tamaulipas'ın adı bilinmeyen yerlerine kaçmayı düşündüğünü yine sadece o biliyordu. Oğlanın ismini öğrenmek için ısrar etmedi; Adela'nın bu soru karşısında değişmeyen olumsuz tavrı hevesini kaçırmıştı. Kız öldürülünceye kadar bunu tekrar merak etmemişti ve o andan itibaren kafasında ihtimaller dolanıp duruyordu. Gerçi düşündüğü herkesi birer birer eliyordu; hiçbiri Adela'nın erkeğiyle ilgili yaptığı tanımlara uymuyordu. Sonuçta Adela onu temel özellikleriyle; uzun boylu, sarışın, yakışıklı, esmer, zayıf, şişman olarak değil de, üstü kapalı sözcüklerle tanımlamıştı; cesur, piç ve çok tutkulu... Üçü de aklına gelen isimlere uyması zor sıfatlardı.

Astrid, Ramón Castaños'un Adela'nın sahte sevgilisi olduğunu sandı. Ailesine anlattığı hikâyedeki utangaç sevgili tiplemesiyle uyuşuyordu. Onu gören ailesi bu kurnazca hazırlanan tuzağa düşmüştü ve bu yüzden, sanki içlerinde en acılılarından biri de oymuş gibi, onu da aralarına alarak bir o yana, bir bu yana gidip duruyorlardı.

Şafak vakti kardeşi yanına geldiğinde Astrid tahmin yürütmekten yorulmuş dinleniyordu. Dükkândan geliyor ve evdekilere söylemeyi geciktiremeyeceği bir haber getiriyordu; Adela'yı Çingene öldürmüştü. Astrid'in kafası karıştı; Çingene'yi ne arkadaşının olası sevgilisi ne de onun katili olarak kafasında canlandırabildi. Çingene ne evliydi, ne de Loma Grande'de yaşıyordu ve Adela sevgilisiyle her gün seviştiği konusunda ısrar etmişti her zaman. Ama hiç şüphesiz Adela'nın çizdiği kaçak sevgili tablosuna uyan köydeki tek kişiydi.

2

Dul Castaños, konuşmayı dinleyebilmek için duvar dibine yanaştırdığı sallanan sandalyenin gıcırdamasını önlemek için onu mümkün olduğu kadar kıpırdatmamaya çalıştı. O pazar gecesi, dobra dobra söylenen bir cümle hariç, içilen biraların arasında gevelenen cümlelerin çoğunluğu Çingene'nin suçlu olduğunu yineliyordu. "İntikamını almalısın... Öldür onu," dedi Torcuato Garduño'nun kasvetli sesi. Dul kadın cümlenin oğlu için söylendiğini düşündü ve onları gözetlediği delikten bakarken şaşkınlığa düştü. Önce Ramón'un sessizliğini, sonra da gülüşmeleri dinledi. Başta neler döndüğünü tahmin edemedi ama Torcuato'nun şaka yaptığını ve Ramón'un solgun yüzünü gören diğerlerinin de ona katıldığını düşündü. Böyle olmuş olmalıydı. Ramón'un Çingene'yle dövüşecek kadar cesur olması imkânsızdı. Ramón bunu biliyordu; diğerleri de öyle, zaten çok az insan bunu yapmaya cüret ederdi. Beşi bıçak, üçü tabancayla açılmış sekiz ölümcül yarasını sergileyen Çingene kurşun işlemez olarak nam salmıştı. "Derisi iki kat," diyorlardı, "bu yüzden ona bir şey olmuyor."

Ayrıca onun dört adam öldürdüğüne dair dedikodular vardı. Bir de zaten Loma Grande kanun tarafından yönetilen bir yerdi ve uzun zamandır kimse kendi adaletini uygulamaya kalkmamıştı.

- Carmelo Lozano o piçin icabına bakacak, diye açıkladı Justino Téllez.

Dul Castaños geriye kalanların sessiz onayını dinledi. Sevindi; oğlunun kaybedeceği bir kavgaya girmesini istemezdi. Marcelino Huitrón'un kaba sesini duyup duvara tekrar yanaşmadan önce, Justino'nun çözümünden memnun, gözetleme deliğinden kulağını uzaklaştırmak üzereydi.

- Korkak olma, dedi Ramón'a, o orospu çocuğunu öldür çünkü Carmelo Lozano onun saçının teline bile zarar vermeyecek.

Artık ne gülüşmeler ne de alaylar kalmıştı. Marcelino'nun bir oğlunu ezmişlerdi ve Carmelo bir milyon peso kefalet karşılığında suçluyu serbest bırakmıştı. Sadece yarım gün hapis yatmıştı.

- Carmelo ve o piç ortak, diye vurguladı Marcelino ve bu doğruydu: Çingene ona Tamaulipas'ın güneyinde kaçakçılık yapabilmek için aylık komisyon ödüyordu.

- Ona hiçbir şey yapmayacak, diye ısrar etti, Lozano altın yumurtlayan tavuğu kesmez.

Justino Téllez araya girmek istedi. Eskiden beri işlenen suçların şiddet uygulanarak çözülmesine karşıydı. Jiménez ve Duarte ailesi arasındaki cinayete tanıklık etmişti ve intikamın düşmanlığı yatıştırmadığını, tam tersi bir sonuç doğurduğunu biliyordu; iki aile de tamamen yok olmuştu. Hapse girmenin kan dökmekten daha iyi olduğuna ikna olmuştu.

Téllez konuşmaya çalıştığında Marcelino onu susturdu.

Yüzünü ona dönüp "Ağlaşıp durma Justino," dedi, "bazı şeyleri erkek gibi çözmek gerekiyor."

Yarım bir tur atıp bakışlarını Ramón'un gözlerine dikti.

- Ve sen onu öldürecek kadar erkek değilsen o zaman ben öldürürüm, dedi hiç tereddüt etmeden.

- Fazla heyecanlanma Lino, bu senin problemin değil, diye araya girdi Justino Téllez, ve bu erkek işiyse bırak da Ramón bunu tırnaklarıyla kazıyarak çözümlesin.

Marcelino ağır ağır başını sallayarak onayladı.

- Haydi çek arabanı; dedi; susacağım, sadece son bir soru sormak istiyorum.

Diğerleri dönüp umutla ona baktı. Marcelino bir kez daha bakışlarını Ramón'a çevirdi:

- Peki sen ne halt edeceksin? diye lafı dolaştırmadan sordu.

Derin bir sessizlik oldu. Sallanan sandalyesindeki dul kadın "oğlumu rahat bırakın," diye bağırmak istedi ama sadece "Tanrım bana yardım et," diye sessizce mırıldandı.

Bu soru Ramón'un midesine yumruk gibi inmişti. Kaçacak yeri yoktu; soruya cevap verilmesi gerekiyordu. Yutkundu; ya sonsuza kadar bir erkek olacaktı ya da bir daha hiçbir zaman öyle anılmayacaktı.

- Onu öldüreceğim, diye boğazı düğümlenerek cevapladı, onu ilk gördüğüm yerde öldüreceğim.

Marcelino elindeki bira şişesini havaya kaldırdı.

- Şerefe, diye homurdandı.

Justino Téllez, Ramón'un omzunu sıvazladı.

- Tamam, dedi.

Kan kazanmıştı ve o bunun önüne geçmek için hiçbir şey yapmayacaktı; bunu Ramón çözümlemeliydi.

3

Bir omlet parçası alıp onu kirli bir bezin üzerine bırakan bir fare masanın üzerinden koşarak geçti ve sandalyenin bacağından aşağı inerek kaçtı. Natalio Figueroa onu gözlüyordu; hatta dolabın altındaki bir yarığın içine girdiğini bile gördü. Saat sabahın üçüydü ve Natalio kızının katilinin kim olduğunu öğrenmeyi bekliyordu.

Çocukken annesi kötü haberlerin gece geldiğini söylerdi. Natalio buna inanmıyordu; o bütün kötü haberleri gün ışığında almıştı. Haziran ayının bir pazar günü sabah saat on birde oğlu Erasmo'nun, geceyi etrafa kurşun sıkarak geçiren deliler yüzünden, başından yediği kurşunla, pis bir caddenin ortasında son nefesini veriyor olduğu haberini almıştı. Nisan ayının bir cumartesi günü sabah saat sekizde kendisine, oğlu

74

Marcos'un, çılgına dönen bir attan kayaların üzerine düşünce, boynuyla başını birleştiren hassas kemiklerinin tuzla buz olduğu haberi verildi. Bir gün önce, öğlen saat üçte, kötü talihi taşıyanın gündüz oluşuna olan inancı pekişti; Evelia kızlarının cesedinin süpürge darısı tarlasına bir paçavra gibi atıldığı haberini getirdi.

Soğuk ve yavan kahvesinden bir yudum aldı. Karısı kâbuslar görerek uyuyordu. Natalio onu soğukkanlılıkla izliyordu. Artık onu yatıştırmaya gidecek gücü yoktu; yaşamak bile istemiyordu. Katilin göğsüne bir bıçak saplama ihtimali onu yatıştıran tek düşünceydi.

Natalio odanın içinde hafif ama devamlı bir çarpma sesi duydu. Masaya dikkatlice baktı ve kanatlarını öfkeyle sallayan bir güvenin kurşun kalay karışımı tencerenin kapağına çarpıp geri sektiğini gördü. Natalio onu parmaklarının arasına aldı, kanatlarını düzeltip yere koydu. Güve birkaç santimetre ilerledi ve gölgelerin arasında kayboldu.

Natalio böceğin ellerinde bıraktığı tozu üfledi. Komşunun köpekleri havladı. Natalio ayağa kalktı ve camdan dışarı baktı. Karanlığın içinde gelenin kim olduğunu göremedi ama katilin adını söyleyecek olan azizler olduklarını varsaydı. Kapının arkasına geçip kendisine seslenmelerini bekledi. Heyecanlanıp bir ıslık çalarak Clotilde'yi uyandırdı.

- Ne oldu? diye sordu Clotilde uykulu gözlerle.

Natalio kapıyı gösterdi. Kadın hiçbir şey anlamadan sandaletlerini giydi ve kocasının yanına gitti.

- İyi akşamlar, dedi kapının arkasından bir ses. Natalio kapıyı açtı ve cenazede görmediği iki yabancı adamla karşılaştı. Selam vermeden önce onları baştan ayağa süzdü.

- Size de, dedi soğuk bir sesle.

Adamlardan biri bir plastik poşet çıkarıp ona uzattı.

- Akşam için size yiyecek bir şeyler getirdik, dedi.

Misafirlerinin beklenmedik nezaketi karşısında Natalio'nun dikkati dağıldı. Poşeti alıp fısıltıyla teşekkür etti. Natalio ve iki adam sessiz kaldı. Clotilde adamları içeriye davet etti.

- Kahve ister misiniz? diye sordu.

Adamlar içeri girip masaya oturdu. Clotilde adamların getirdiği paketi açıp içindekileri çıkardı; altı tane yumurtalı, patatesli, soğanlı sandviç vardı. Onları bir tabağa koydu. Karnı aç olmayan Natalio kabalık etmemek için kendini yemeğe zorladı. Yabancılar içtikleri biranın etkisini azaltma bahanesiyle geriye kalan sandviçleri silip süpürdü.

Adamlardan hiçbiri cinayetten söz etmedi. Birbirlerine çakalın öldürdüğü kuzu sayısını, Xico'da yapılacak olan dans gösterilerinin tarihini sordular, gelecek şerif seçimlerinden ve bu kurak zamanlardaki avlardan söz ettiler. Natalio'nun evine, sohbete kaldıkları yerden devam edebilmek için gitmiş gibi duruyorlardı.

Clotilde ve Natalio onları, içlerinden biri artık gitme vakti geldiğine karar verinceye kadar, bir buçuk saat boyunca sabırla dinledi. Cinayet hakkında tek bir laf bile etmediklerinden ümitsizliğe kapılan Natalio onları geçirmek için kalktı.

- İyi akşamlar, dedi.

- İyi akşamlar, dedi sempatik olanı ve adama bakakaldı.

- N'oldu? diye sordu Natalio kaygıyla.

Adam cevabını birkaç dakika geciktirdi:

- Hiç, sadece sana kızını kimin öldürdüğünü söylemek istemiştik.

Natalio sarsıldı.

Heyecanını belli etmemeye çalışarak "Kim?" diye sordu.

- Çingene dedikleri birisi...

Natalio'nun onu tanımadığını fark eden adam "Siyah bir Dodge'u var," diye belirtti.

Natalio öfkeyle doldu. Kimden bahsettiklerini bilmiyordu ama onu bulacaktı. Sadece ona nereye gitmesi gerektiğini söylemeleri yeterliydi.

- Nerede oturuyor?

Adamın dudakları titriyordu:

- Buralarda dolanmıyor... Buradan değil.

- Söz konusu Çingene piçi, diye ekledi diğer adam, daha önce pek çok belaya bulaştı.

- Hepsinin hesabını sorarım, diye adamları temin etti Natalio, çünkü o orospu çocuğunu öldüreceğim.

Adam başını salladı.

- Ne? diye çıkıştı Natalio.

- Geç kaldın, diye cevapladı adam, biraz önce Ramón Castaños onu öldüreceğine söz verdi.

- Bunu o yapmamalı, diye belirtti.

Adam tekrar başını salladı.

- Çocuk yemin etti ve sözünü tutmazsa pek de hoş olmaz... Üstelik bunu o yapmalı çünkü kızınızla evlenmeyi düşünüyordu.

Bu cevap yaşlı adamı rahatlattı; Ramón, Adela'nın intikamını almak istiyorsa onun bu kararına saygı duymalıydı.

- Çingene kolay kolay ölmez, diye ekledi adam, ama Ramón onun canını çıkaracağına yemin etti.

- Sonra gidip ona teşekkür edeceğim, dedi Natalio.

4

Çingene ona ilk kez sarıldığında Gabriela Bautista korktu ama korkusunun sebebi adamın yaptığı şey değil kendi hisleriydi. Kadın evinin arkasındaki boş araziyi çevreleyen avludaki ıvır zıvırı karıştırmış dönerken adam onu hazırlıksız yakalamış, belinden kavramıştı. Kurtulmaya çalıştı. Kocası Pedro çok geçmeden pamuk taşıdığı kamyonuyla Salado'dan dönerdi. Çingene, kadını güç kullanarak değil de, sözcükleriyle sakinleştirdi:

- İstersen seni bırakırım, dedi.

Kadın tepinmeyi bıraktı. Bakışları bu kucaklaşmanın zorla yapılmadığını anlayacak ve anlatacak kadar çok kesişmişti. Yine de zaman ve mekân onları talihsiz, tehlikeli bir duruma düşürüyordu. Gabriela kendisini sıkıştıran bu adamdan kurtulmak istemiyordu ama bir felakete yol açmaya niyeti de yoktu. Onu sakinleştirmek için, adama karşı çıkmayıp kendini bırakmaktan ve bakışlarını sonsuzluğa dikmekten daha iyi bir çare bulamadı.

Çingene kollarının arasından kayan kadının bu ani duruluşunu nasıl yorumlayacağını bilemedi. Onu bütün gücüyle çekiştirerek karşılık verdi. Kadın direnmiyor, aynı şekilde durmaya devam ediyordu. Onun bu tavrına kanan adam, Gabriela'nın soğuk duruşunun altında aslında alev alev yandığını tahmin edemeyerek, kadını bıraktı.

- Gitsem iyi olacak, dedi Çingene sözlerin üzerine basa basa; rahatsız olmuş ve utanmış gibi bir hâli vardı.

Yüzündeki ifadeyi değiştirmeyen Gabriela "Beni bırakma," dedi.

Kafası karışan Çingene yüzünü kadına çevirdi ve onu dudağından öptü. Gabriela uyuşuk bir şekilde ellerini kaldırdı ve adamın vücuduna dokundu. Ter içinde kalan gömleğinin altından sırtındaki yara izlerini hissetti. Fazlasıyla heyecanlandı. Adamın engebeli sırtını güçlü ve erkeksi buldu. Doğruldu, Çingene'nin acımsı bir tada sahip dudaklarını öptü ve kendini ondan uzaklaştırdı.

- Git, diye emretti.

Şehvetle dolan Çingene ona yeniden sarılmak istedi ama Gabriela'nın artık güçlendiği hissedilen kolları ona engel oldu.

- Git, diye yineledi, Pedro birazdan gelir... Sonra görüşürüz.

Adam oradan memnun ayrıldı; Gabriela artık kendisinden kaçmazdı. Kadın, dizlerinin bağını çözen sıcağa tahammül ederek, avluda öylece kalakaldı.

O gece, tıpkı iki yıl sonra Pedro, Çingene'nin Adela Figueroa'nın katili olduğunu söylediği zaman yaptığı gibi, o yara izleriyle dolu sırtı düşünmekten kendini alamadı. Ama şimdi onu farklı bir şekilde hayal ediyordu; kendini defalarca zevkten titreten sırtı değil, öldürülecek olan bir adamın sırtını düşünüyordu. En büyük kâbusu onu sırtından vurmalarıydı; çünkü sadece sırtından vurularak öldürülebilirdi; başka türlüsüne hiç kimse cesaret edememişti.

Çingene'nin ona iftira attıkları bu suçu işlemiş olması imkânsızdı. Bunu bilen ve suçsuzluğunu kanıtlayabilecek tek kişi de Gabriela'ydı. Fakat gerçeği söylemek fazlasıyla riske girmek, onun hayatını kendininkiyle değişmek demekti. Korktu ve onu kurtarmak için yapabileceği hiçbir şey olmadığını düşündü. Çarşafa sarındı ve ağladı. Yeniden o sırtı, birlikte geçirdikleri saatleri ve onunla olmak için duyduğu arzuyu anımsadı. Sırrının canını bu kadar yakacağını hiç düşünmemişti. Gözlerini kapadı ve yapış yapış gecenin içinde uyumaya çalıştı.

5

Justino Téllez yatağın üzerine kıvrıldı ve bir kez daha gözlerini açtı. Başı dönüyordu ama bunun sebebi ne içtiği sayısız Victoria birası, ne sivrisinekler ve yapışkan sıcağın yarattığı uykusuz saatler, ne de ölüyle o denli meşgul olmuş olmasıydı; tanımlayamadığı bir düşünce bilincine kazınmıştı ve uyumasına engel oluyordu.

Bu kadar huzursuz olmasının hiçbir geçerli sebebi yoktu. Adela cinayetinin ardındaki sır açığa çıkmıştı. Ranulfo Quirarte'nin hikâyesinin dışında da Çingene'nin suçlu olduğunu doğrulayan pek çok kişi vardı; Torcuato Garduño, onun Adela'nın evinin etrafında dolandığını görmüştü, Macedonio Macedo onu Lucio Estrada'nın bıçağına tıpatıp benzeyen bir bıçağı bilerken gördüğünü söylemişti; Pascual Ortega, Çingene'nin Adela'ya attığı lafları ve Adela'nın onu umursamayışını anlatmıştı; Juan Carrera onun köyden bir kadını kıskandığını, adını vermediği kadını sevdiğini söylediğini duymuştu ve Pedro Salgado da davranışlarında bir gariplik olduğunu fark emişti. Tüm bunlar katilin Çingene olduğunu gösteriyordu.

Saat sabahın dokuzuydu ve beşte yatmış olan Justino hâlâ uyuyamamıştı. Anlayamadığı bir şey; diğerleriyle örtüşmeyen, belirsiz bir ayrıntı vardı ve bu ayrıntı, sarhoş olduğu için onun ne olduğunu bulamayan Justino'yu uyutmuyordu.

Uyku arayışıyla uzun bir süre yatakta dönüp durdu ama bir türlü uyumayı başaramadı. "Lanet olsun," diye düşündü, "neyim var?" Ağzında acı bir tat vardı ve dilini yakıyordu. Yorgun düşüyor ama uykusunu kaçıran o lanet düşünceyi bir türlü yakalayamıyordu. Karısı yaşıyor olsaydı, uyuması için bir çözüm bulurdu ama duldu ve evde akıl danışabileceği hiç kimse yoktu.

Güçlükle doğruldu ve sendeleyerek kiler olarak kullandığı ahşap sandığın yanına gitti. Kaygısını yatıştıracak bir şey bulma umuduyla içini karıştırdı. Aradığı şeyi; abanoz tohumunu; buluncaya kadar bir kavanoz hazır kahve, bir kutu süt tozu, etli mısır dolması, kurutulmuş at eti, birkaç domates, acı yeşil biber çıkardı sandıktan.

Tohumları cezveye koyup kaynattı. Su kırmızılaşınca cezveyi ocaktan aldı ve içine iki kaşık süt tozu attı. Yaptığı çayı yudum yudum içip bitirdi. Yatağa dönüp uzandı. Karışım işe yaramıştı; Justino uyuklamaya başladı. Beynini kemiren düşünce -hâlâ aklını karıştırıyor- ara sıra ön plana çıkıyordu ama onu önemsemiyordu; uyku daha baskındı.

Aniden beliren ve her şeyi anlatan bir görüntü gözünün önüne geldiğinde neredeyse uyumuştu. Bu, bir karıştan bir çeyrek karış ve üç parmak uzun olan ayak izinin; katilin ayak izinin görüntüsüydü. Çingene'nin ayağı en azından iki parmak daha uzun olmalıydı. Beynini kemirip duran işte buydu ve uyuyakalmadan önce son düşündüğü de bu olmuştu.

X

AŞK MEKTUPLARI

1

Sonunda, fazlasıyla mücadele ettikten sonra, Ramón Castaños bir gün öncesinden itibaren yaşadığı bütün karmaşayı tanımlamasına yardım eden sözcüğü söyleyebildi:

- Şah, diye mırıldandı.

Sarhoş muhabbetine dalmış olan Torcuato Garduño ve Jacinto Cruz aynı anda başını kaldırdı.

- Ne? diye sordu Torcuato kelimeyi uzatarak.

- Hiç, diye cevapladı Ramón.

Diğerleri ona buğulu gözlerle bakıp laf kalabalığı yapmaya devam ettiler. Ramón kendi kendine tekrarladı:

- Şah.

Bu kez öylesine kısık sesle söyledi ki diğerleri onu duymadı.

Aslında 'şah'ın ne demek olduğunu bilmiyordu ama kovboy kitaplarından birinde öykünün kahramanı -bir Apaçi kabilesinin kendilerine yaklaştığını görünce- arkadaşlarına avazı çıktığı kadar 'Şah- mat olmak üzereyiz,' diye bağırıyordu. Ramón hikâyenin sonunu hatırlamıyordu ama kitap kahramanlarının durumunu özetleyen bu sözcük beynine kazındı ve o andan itibaren kendi çıkmazlarını tanımlamak için bu ifadeyi kullandı.

Apaçilerin etrafını sardığı bir kovboyu hayal ederek, tüm ciddiyetiyle, 'Şah- mat olmak üzereyim,' diye düşündü. Fakat sabahın yedisinde, hâlâ barın arkasında durup bir çift sarhoşun ihtiyaçlarını karşılarken ve aşk anlayışının, intikamını almak zorunda kalacağı bir ölü tarafından ayaklar altına alındığını düşünürken, Natalio Figueroa'nın dükkâna geldiğini görünce çok daha da güç bir duruma düştü; asıl şimdi şah- mat olmak üzereydi.

Fark edilmeyeceğini ve böylece yaşlı adamın geçip gideceğini umarak rafın yanına saklandı ama boşuna umutlanıyordu çünkü sabahın o saatinde Natalio'nun aradığı Ramón' un ta kendisiydi.

Yaşlı adam dükkânın kapısına kadar geldi ve "Günaydın," diye seslendi. Torcuato ve Jacinto başını sesin geldiği yöne çevirdi ve adamı tanır tanımaz hemen ayağa kalktı. Gözleri uykusuzluktan şişmiş olan Ramón, selamına başını utangaçça sallayarak karşılık verdi. Elleri pantolonunun cebinde olan Natalio Figueroa kendini bir iskemleye bıraktı ve ne ısmarlayacağına karar veremiyor gibi rafları gözden geçirmeye başladı.

Torcuato ve Jacinto yeniden oturdu. Ramón, Natalio'nun önceki günden de bitkin gözüktüğünü düşündü. Natalio her an ikiye ayrılacakmış gibi duruyordu.

Ramón ne onunla ne de başkasıyla konuşmak istiyordu. Tek isteği yatağa gitmek ve üç gün aralıksız uyumaktı.

Yalnız konuşabilmek için onu eve; kahvaltıya davet etmeyi düşünen Natalio "Kahvaltı ettin mi?" diye sordu.

- Evet, diye kendinden emin cevapladı Ramón.

Torcuato Garduño ona bir bakış attı.

- Dün geceden beri burada olduğuna göre ne zaman kahvaltı ettin? diye sordu.

Ramón kızartma dolu bir rafı işaret etti.

- Atıştırıyordum ve bunlar açlığımı bastırdı, diye yalan söyledi. Aslında midesi gurulduyordu. Sadece iki Marinelo filetosu ve birkaç galeta yemişti ama Natalio'dan ve bu iki sarhoştan mümkün olduğu kadar çabuk kurtulmak istiyordu.

Natalio oğlanın yorgun ve bıkkın olduğunu biliyordu ama onunla konuşmak için bekleyecek hâli yoktu.

Ramón'un doğrudan yapacağı teklifi geri çeviremeyeceğinden emin olan Natalio "Karım balıklı mısır dolması hazırladı ve seni davet etmemi söyledi," diye ekledi.

Ramón tezgâhın arkasından çıktı ve Torcuato'yla Jacinto' dan barı boşaltmalarını istedi. Sandalyeleri ve masaları arka odaya kaldırdı, kapıyı kapayıp sürgüyü çekti. Annesine "Şimdi geliyorum," diye seslendi, diğerlerine "sonra görüşürüz," diyerek veda etti ve yaşlı adama "hazırım, gidelim," dedi.

2

Figueroa'nın evine giderken Ramón kendini kötü hissetmeye başladı. Sadece hâlâ ölünün kokusuyla dolu olan odaya gireceği için değil, aynı zamanda Natalio'nun yanında attığı her adımda, Adela'yla beraber yürüyor olduğunu düşündüğü için öyle hissediyordu. İkisi de aynı şekilde bakıyordu, benzer mimikleri vardı, hatta yürüyüşleri de birbirine benziyordu. Ayrıca ağustosböcekleri, bir sabah önce Adela'nın ılık bedenini kollarında tuttuğu günkü gibi ötüyor, güneş o günkü gibi yakıyordu. Böylece, adım adım, Adela canlandı; babasının gülüşünde gülüyor, onun nefesinde nefes alıyor, yürüyüşünde yürüyordu. Hatta onun iki kelimeden fazla konuştuğunu duymamış olan Ramón, kızın şakalarını, ağlayışını, gülüşünü duyuyordu. Yolun ortasında dinlenmek için durdu. Gözlerini kapadı ve ensesini ovaladı. Adela'nın hayali uzaklaşmak yerine, onun içinde daha da büyüdü. Hatta o kadar büyüdü ki yaşlı adama umutsuzluk dolu bir bakış attı ve adam sadece "Ne oldu?" diye sorabildi.

Natalio'nun tok sesi bütün büyüyü bozdu ve Adela sabah tozuna karışıp dağıldı.

Derin bir iç çekerek, "Hiç... Hiçbir şey olmadı," diye cevapladı Ramón.

Eve geldiler ve Ramón odaya girdi. Burnuna tanıdık bir koku geldi. Bu, onu süpürge darılarının köşesine atılmış bulduğunda Adela'nın üzerindeki gül kokusuydu. Clotilde Aranda cesedin izlerinden kurtulmak için birkaç damla serpmişti. Tatlı çiçek kokusu Ramón'u deliye çevirdi; Adela'nın hayale-

86

ti burnundan içeri girmişti. Karyolanın üzerindeki çıplak, gül kokulu, kollarını açmış kendisini bekleyen kızı gördü. "Bu bir rüya... Çok yorgunum," diye düşündü ve ölünün yanında bulunmanın acısını çekmekten vazgeçerek kızı karyolanın üzerinde bırakıp kahvaltı etmek üzere oturdu.

Clotilde kızarmış fasulyeli mısır ekmeklerini ve sade kahveyi servis etti. Ramón neredeyse bakışlarını tabaktan hiç ayırmadan çabucak yedi. Her seferinde öylesine kendini kaptırmış bir şekilde ısırıyordu ki, Natalio ve Clotilde, acısını tek başına çiğniyor olduğu gerçeğini fark ederek, onun dikkatini dağıtmamaya karar verdiler.

Yemek bittiğinde Clotilde tabakları topladı. Masayı büyük bir dikkatle, üzerinde tek bir leke kalmayıncaya kadar temizledi. Natalio resmî bir şekilde kalkıp karton bir kutu getirdi. Onu bacaklarının arasına yerleştirdi, açtı ve bir deste kâğıt çıkardı. Büyük bir özenle birini kenara ayırdı.

- Bunlar Adela'nın beşinci sınıf notları, diye belirtti. Elini uzatıp sararmış kâğıdı Ramón'a verdi.

Natalio, "Çalışkan bir çocuktu... Öğretmeni okulun en iyisi olduğunu söylerdi," diye gururla konuşmaya devam etti.

Ramón, İspanyolcadan, matematikten, sosyal bilimlerden, doğal bilimlerden alınmış dokuzlara ve onlara bakmadan önce Adela'nın kâğıdın üst köşesine yapıştırılmış resmini inceledi. Buruşuk, mat, siyah beyaz ve profilden çekilmiş bir fotoğraftı. Saçları arkaya taranmış, alnı açık ve renkli gözleri dalgınca bakan Adela ciddi görünüyordu.

- O fotoğraf çekildiğinde on üç yaşındaydı, diye belirtti Clotilde, ve sınıfındaki en uzun boylu kızdı.

Ramón önemsiz bir soru sormak için ona döndü ama kadın sessizleşmişti; artık kendisiyle ilgilenmiyordu. Bu eski, küçük kız fotoğrafına bakarken aklından bir şey geçmişti. Ramón portreyi yeniden inceledi. Adela küpe takmıyordu. Ne dudakları ne de kirpikleri boyalıydı. Boynunda bluzunun; beyaz bluzunun kıvrımları arasında kaybolan ince bir zincir vardı. Ramón fotoğrafın çekildiği gün kızın sarı eteği giyip giymediğini sordu. Onu tanıştıkları günden farklı bir şekilde hayal edemiyordu.

Natalio kutunun içini karıştırdı ve başka bir fotoğraf çıkardı; renkli bir şipşaktı ama solmuştu; Adela bir büfenin önündeki demir bir bankta oturuyordu.

- Bu çektirdiği son fotoğraftı, dedi yaşlı adam sesi titreyerek, biz buraya gelmeden kısa bir süre önce çekildi.

- Nerede çekildi? diye sordu Ramón.

- León meydanında, doğum gününde... diye cevapladı Clotilde.

Ramón tarihi sormak istedi ama cesaret edemedi. Fotoğrafta Adela gülüyordu. Ramón onu hiç gülerken görmemişti. Doğum gününün ne zaman olduğunu da bilmiyordu.

3

Ramón'un sabahı fotoğraflar, saç bukleleri, not çizelgeleri, kırık oyuncak bebekler, yılbaşı kartları ve okul madalyaları arasında geçti. Clotilde ve Natalio bu süprüntülerle kızlarını geri getirmeye çalışıyorlardı; bunu Ramón'dan çok kendileri için yapıyorlardı.

Başlangıçta Ramón onları ilgiyle izledi; kahvaltı onu canlandırmıştı. Fakat öğleye doğru yorgunluktan tükenmiş hissetti. Yaşlıların hikâyelerini dalgınca dinledi. Pek çok kez sert kahve istedi. Üzerindeki ağırlıktan kurtulmak, özellikle de Adela'nın, babasının yüzünde canlanmasını engellemek istiyordu. Üç kez kalkıp gitmeyi denedi ama yaşlı aile eski anılarını uzun uzadıya anlatıp ona engel oluyordu. Dördüncü denemede Ramón gitmeye kararlıydı; Natalio ona "Bir dakikacık bekle," dedi. Dolaba yöneldi ve bir tomar mektupla gelip onları masanın üzerine koydu.

- Bunlar senin, dedi.

Ramón şaşkınlıkla mektuplara baktı.

- Benim mi? Niye ki?

- Adela onları sana yazdı, diye cevapladı kızın babası.

Gitmek istediği için ayağa kalkmış olan Ramón yeniden oturdu. Clotilde araya girdi:

- Adela bize senden bahsetmişti.

Ramón'un kalbi hızla atıyordu. Bir hata olmalıydı; onun kızla hiçbir ilgisi yoktu.

Kadın mektup yığınını alıp ona verdi.

- Al haydi, diye nazikçe emretti, bunlar aşk mektupları.

Kafası karışan Ramón mektupları geri vermek istedi. Clotilde büyük bir kararlılıkla bunu reddetti.

- Kızım seni çok seviyordu, öldüğü için onu hiçe sayma, dedi acı bir şekilde.

Oğlanın şüphe ettiğini gören Natalio "Onlar senin," diye tekrarladı. "Geceleri, uyuduğumuzu düşündüğü zaman yazardı."

Ramón paketi aldı. Onlara inanmakta dirense bile bu yaşlı çiftin kendisini kandırmak istemediğinden şüphe duymuyordu.

Onlara veda etti ama evden çıkmadan önce Natalio onu durdurdu.

- Teşekkürler, dedi.

- Ne için? diye şüpheyle sordu.

- Kızımı sevdiğin ve beni bir adamı öldürmekten kurtardığın için.

Loma Grande'den mümkün olduğu kadar çabuk, çalılıkların arasından, kucağında mektuplarla tüm gücüyle koşarak uzaklaştı. Sakince oturup mektupları okuyabileceği gölge bir yer aradı. Bir *mesquite* ağacının[6] altındaki bir taşı seçti. Sayısı elliye yakın olan mektuplar, pulsuz zarflara konmuştu ve her birine gül kokusu sıkılmıştı.

Sayfaları rastgele çevirmeye başladı. Çoğunluğu isim kullanılmadan 'aşkım' sözcüğüyle başlıyordu. Geri kalanlar da bu bile yazmıyordu. 'Sen ve ben' sözcüklerinin yanında çiçek ve

---

[6] Kuzey Amerika'ya mahsus baklagillerden bir çeşit ağaç veya çalı.

kalp resimleri vardı. Bazıları özenli ve süslü bir kaligrafiyle, diğerleri çabuk ve kötü bir el yazısıyla yazılmıştı. Söz dizimi düzensiz ve karmaşıktı; hepsi birbirinden bağımsızdı. Ramón bunun nedenini çabucak anladı; Adela kendi cümlelerini dönemin popüler dizeleriyle; Notitas Musicales'in nakaratlarıyla birleştirmişti. Bunca karmaşıklık pekâlâ Çingene de olabilecek bir sevgiliye verilen gizli bir mesaj olduğunu düşündürüyordu. Ramón onun bütün şüphelerini dağıtan şu beş dizeyle karşılaşmamış olsaydı işin aslının böyle olduğuna inanacaktı:

Bugün dükkânda seninle tanıştım. Sen benim hayallerimdeki erkeksin. Senden çok hoşlanıyorum. Sadece seni görebilmek için dükkâna yüz kere daha geleceğim. Senin aşkının tek sahibi olmak istiyorum.

Ramón'un mektupları ne kadar dikkatsizce okuduğunu anlaması için bu paragraf yeterliydi. İlerleyen sayfalarda onunla yüz yüze geldiği üç karşılaşmayı gizlice anlatan sayısız bölümle karşılaştı. Hepsinde Adela sadece ikisinin bildiği şeyleri bütün detaylarıyla anlatıyordu. Artık hiç şüphe duymuyordu; Adela kendisini gizlice sevmişti. Şimdi buna karşılık vermek zorundaydı.

4

Kapı çaldığında Clotilde Aranda ve Natalio Figueroa derin bir uykuya gömüldükleri bir siestaya yatmışlardı. Natalio perdeyi araladı ve evin önünde dikilen Ramón'u gördü.

Camı açıp "Ne oldu?" diye sordu.

Ramón ona yaklaştı. Yanında mektup yığını vardı. Huzursuz gözüküyordu ve ter içindeydi.

- Bir ricada bulunmaya geldim, dedi.

- Nedir?

Ramón biraz daha yaklaştı ve derin bir nefes aldı. Silueti karanlıkta kaldı.

- Bana Adela'nın bir fotoğrafını vermenizi rica edecektim.

Ramón'un arkasında kalan öğleden sonra güneşi üzerine vuran yaşlı adam başını iki yana salladı.

- Gördüklerin bendeki tek fotoğrafları.

- Biliyorum ama bende hiç yok, diye itiraz etti Ramón.

Natalio düşüncelere daldı. Kızına ait sekiz fotoğrafın hiçbirinden uzaklaşmak istemiyordu; ondan geriye kalan en canlı şey o fotoğraflardı.

- Hayır, diye kararlılıkla belirtti.

Clotilde onların yanına gitti. Elini kaldırdı. O sekiz fotoğrafı parmaklarının arasında iskambil kâğıdı gibi tutuyordu. Natalio sitemkâr bir ifadeyle bakışlarını ona çevirdi ama kadın "Sana birini ödünç vereceğim," dedi.

Ramón hepsine göz attı; yaşlı bir kadının kucağında oturan on üç yaşındaki Adela, başka çocukların yanında duran beş yaşındaki Adela, on yaşında babasını selamlayan Adela, on bir yaşında ilk komünyonuna katılan Adela, on dört yaşında başını otobüs camından çıkarmış Adela, on beş yaşında okul törenindeki Adela ve yine on beş yaşında, doğum gününde demir bir bankın üzerinde oturan Adela... Natalio ona her birinin hikâyesini; fotoğrafı nerede, kiminle, hangi tarihte ve neden çektiklerini anlatmıştı.

Clotilde fotoğrafları yelpaze yapıp açtı.

Ramón'a "Birini seç," dedi.

Ramón, soldan sağa ve sağdan sola, hepsine tekrar baktı.

- Bunların hiçbirini istemiyorum, dedi.

Clotilde omuz silkti.

- Peki, o zaman hangisini istiyorsun, diye şaşkınca sordu, başka yok ki?

Ramón'un arkasındaki ışık yüzünden masanın üzerindeki kutuyu gösterdiğini anlamadılar.

- Onu, dedi.

Clotilde odaya bir göz attı.

- Hangisini? diye sordu.

- Karnesindekini.

Clotilde fotoğrafı getirmeye gitti. Yırtılmaması için büyük bir özen göstererek fotoğrafı söktü ve onu Ramón'a vermeden önce "Ödünç," dedi.

- Geri vermen şartıyla, diye onayladı Natalio.

Ramón evine döndü. Annesine "Selam," dedikten sonra yatağına gitti. Çok yorgun olmasına rağmen mektupları tekrar okudu. Hiçbirinde tarih olmamasına rağmen onları kronolojik bir şekilde düzenlemeye çalıştı. Bir kurşun kalemle o da kalpler çizdi ve mektupların sahibine dair en ufak bir şüphe kalmaması için kalplerin içini "Ramón ve Adela" isimleriyle doldurdu. Pedro'nun kendisine ödünç verdiği gömleğin sol cebinden fotoğrafı çıkardı. Ona uzun uzun, hayranlıkla baktı. O anda Adela'nın toprağın altında kıpırdamadan yatan bir et yığını olduğunu unuttu. Bunu unuttu çünkü onu, kendisiyle yatağın üzerinde otururken görüyordu; saçlarını arkaya atmış, yüzüne yayılan bir gülümsemeyle onu okşuyordu. Unuttu çünkü uyumuştu ve rüya görüyordu.

XI

BİR ÇEYREK KARIŞ ARTI ÜÇ PARMAK

1

Justino Téllez kendi horultusuna tesadüfen uyandı.

- Kim var orada? diye bağırdı.

Doğrulup dikkatle odaya baktı. Hiç kimseyi göremeyince kedidir diye düşündü. Elini başına götürdü ve parmakları ıslandı. Eve yapış yapış bir sıcaklık yayılıyordu; havada zeytinyağı varmış gibiydi.

- Lanet olsun, diye mırıldandı.

Giysileri üzerindeyken uyumuştu. Bunu her zaman yapıyor ve her seferinde şikâyet ediyordu; yaşlıların huylarını ediniyordu. Gömleğini çıkardı ve su dolu bir leğenin içine bir sünger koydu. Kollarını, boynunu ve koltuk altlarını sildi. Ter içinde kalan atletine baktı. Üzerini değiştirmek istedi ama diğer iki atleti de kirliydi. Onu çıkarmamaya karar verdi; artık kirli olup olmadıklarını görebilecek hiç kimse yoktu.

Ağzında uykusuzluğun ve biranın yarattığı ekşimsi bir tat vardı; tükürdü. Suyla ağzını çalkaladı ve odanın havalanması için kapıyı açtı. Dışarıda güneş bütün gücüyle parıldıyordu. Justino saate baktı.

'Saat dört olmuş; bu lanet güneş hâlâ cayır cayır,' diye düşündü.

Gidip ocağı açtı. Alevler zayıfça titredi; gazın bitmek üzere olduğunun işaretiydi bu. Yakında Mante'ye gidip tüpü değiştirmek zorunda kalacaktı. Ateşin üzerine, içi vaftiz babası Héctor Montanaro'nun verdiği domuz etinden kalanlarla dolu bir tava koydu. Birkaç dakika kızarttı; eti neredeyse yanmış ve acılaşmış seviyordu.

Tadını çıkarmak için yemeği yavaş yedi. Temiz bırakmak için bütün kemikleri yaladı. Bir kola açtı ve bir dikişte hepsini içti. Katilin ayak izlerini hatırladı. Onları yeniden ölçmek için olay yerine dönmeliydi. Sonra da Çingene'nin ayak numarasını bilip bilmediğini sormak için Rutilio Buenaventura'nın yanına gidecekti.

Bir poşet yemek artığı alıp evden çıktı. İki sıska ve uyuz köpek, kuyruklarını sallayarak ona yaklaştı. Justino artıkları onlara attı ve yemek kapmak isteyen köpekler birbirleriyle yarıştı.

Nehre çıkan patikaya saptı. Akşam oluyordu ama her yere yayılmış olan sıcaklıkta bunun en ufak bir belirtisi bile yoktu. *Mesquite* ağacına konmuş bir iki karga ötüyordu. Kaktüslerin arasında gri yaban tavşanları koşuyordu. Justino tavşan yolunu değiştirmeden yakalayabilmek için yerden bir taş aldı. Çocukken onları böyle avlardı. Elinin kenarıyla enselerine vurup öldürmeden önce onları taşlarla sersemletirdi. Uzun zamandır onları böyle yakalayamıyordu. Zaten bunu sık sık deneyecek fırsatı da olmuyordu.

Süpürge darısı tarlasına geldi. Bölgede öğleden sonrası sakinliği hâkimdi. Tohum ekili tarlayı basan bıldırcınlar ötüşüyordu. Beyaz kanatlı güvercinler tohumların bir kısmını yiyordu. Adela'nın düştüğü yere kadar yürüdü. Suç izi olarak sadece kuruyup kahverengimsi bir renk almış kan ve cesedin ağırlığıyla ezilmiş olan süpürge darıları vardı. Bir yığın mahsul varmış gibi duruyordu ama daha fazla olmayacaktı; onları eken Victor Vargas, bir gece önce hepsinin önünde, bir daha ekin ekmeyeceğine yemin etmişti.

- Çünkü ölü kokusu buradan hiç çıkmayacak, diye açıklamıştı.

Toprak kötülüğe mahkûm olmuştu; hiç kimse ne orayı kiralamayı önermiş ne de terk edilmiş bu arsadan yararlanmak istemişti.

2

Justino bölgeyi inceledi. Adela'nın ve katilin bıraktığı izler hâlâ açıkça seçiliyordu. Diz çöktü ve izleri yeniden ölçtü; kızınki bir karış; katilinki bir çeyrek karış ve üç parmak uzunluğundaydı. Emin olmak için aynı işlemi tekrarladı. Sırf meraktan kendi ayak izini de ölçtü; bir karış, üç parmaktan biraz fazlaydı. Katilin ayak numarası kendisininki gibi yirmi altı buçuk[7] olmalıydı. İzin kaynağını bulmak için onu takip etti. Zaman zaman onu gözden kaybetti fakat tekrar buluncaya kadar dolanıp durdu. Gevşek toprak ikisinin de koştuğunu ve Adela'nın öldürülünceye kadar koşmayı bırakmadığını

---

[7] 42 numaraya denk gelir.

gösteriyordu. İzler yoğun ve sık bir çalılığa gidiyordu. Justino oraya girmeye cesaret etmedi. Günün bu saatlerinde çalıların arasında zehirli yılanlar dolaşırdı. Bir engereğin saldırısına uğramaktan korktu. Onun ısırdığı hayvanları görmüştü; kendilerinden geçmiş böğürüyor, geçirdikleri spazmlar içinde yorgun düşünceye kadar tekmeler savuruyorlardı.

Çayırda dolandıktan sonra nehir kıyısına geldi. İzleri en son gördüğü yerden geldiği yere kadar hayalî bir koordinat çizdi ve çamurlu kıyıyı gözden geçirdi. Geyik ve porsuk izlerinden başka bir şey yoktu. Yürürken, nehri çevreleyen yoğun çalılığa çıkan, sadece hayvanların kullandığı bir patikaya rastladı. Oraya daldı; güçlükle ilerliyor, dallara bir yerlerini çizdirmemek için sürekli eğiliyordu. Yol git gide aşılmaz bir hâl aldı. Pişman olup geri dönmek istedi ama bunun için çok geçti artık; iki yüz metreden fazla yol gitmişti. Geri dönüş de şimdiye kadar kat ettiği yol kadar zorlu olacaktı. Yola devam etmeye karar verdi. Adım attıkça çalıların yapraklarındaki yüzlerce tipula sineği havalanıp onu sokmaya başladı. Justino ellerini birbirine vurarak onları yakalamaya çalıştı, birkaç tanesini öldürmesine rağmen ısırıkların sayısını azaltmayı başaramadı. Yeşil tünelin içi çok daha sıcaktı. Nem bütün çamurun bedenine yapışmasına neden oluyordu. Giysileri terden sırılsıklam olmuş, eğilip yürümekten sırtı ve dizleri ağrımıştı. "Ne bok yemeye geldim ki buraya," diye yüksek sesle homurdandı.

Dizlerinin üzerinde iki yüz metre daha ilerledi. Patika büyük bir koruluğa açıldı. Justino, dinlenmek için, terk edilmiş bir karınca yuvasının üzerine oturdu. Varlığından korkan birkaç kuş öttü. Justino korkutmak için kuşlara çamur fırlattı. Kuşlar nehrin karşı tarafına uçup bağrışmalarını orada devam ettirdi.

Justino, çok yorulmuş olmasına rağmen, son bir çaba harcayıp araştırmasına devam etti; bu cinayetin sırrını çözmeyi fazlasıyla istiyordu.

Çifti iyi tanımıyordu ama bu otlağın onların sonu olduğu belliydi. Buradaki çimler daha kısa ve seyrekti; büyükbaş hayvanların otladığı bir yer olmalıydı.

Ayağa kalkıp çevreye göz attı. Nehir kenarına yakınlığından dolayı gevşek olan toprak kolayca iz tutuyordu fakat Justino izlerin atlara mı, ineklere mi, yoksa başka bir şeye mi ait olduğunu çözemiyordu. Orada olmasa ve izlerin neye ait olduğunu anlamaya çalışmasa bir palmiye ağacının yanında, palayla kesilmiş çimlerin ortasında, beyaz bir battaniye, siyah bir etek ve mavi bir bluz bulamayacaktı.

3

Onu zorla soymamışlardı. Giysiler yırtık değildi. Aksine özenle katlanmışlardı; üzerlerinde ne bir leke ne de bir delik vardı. Bluz altında ayakkabılar, çoraplar ve sutyen vardı. Çevrede iki bedenin de izi vardı. İzler nehir kenarında başlıyor ve anlaşılmayacak bir fikir doğuruyordu; katil ve kurban buraya beraber gelmişti. Adımları yan yanaydı. Bazı yerlerde, sanki çift öpüşmüş ya da kucaklaşmış gibi, ayak izleri karşı karşıyaydı. İlk gördüğü izler ayakkabı iziydi; erkekte uzun topuklu kovboy çizmeleri, kadında ise az önce bulduğu ayak-kabılar vardı. Daha sonra soyundukları ve battaniyeyi aşk mekânı olarak kullandıkları anlaşılıyordu. Bundan sonrası karmaşıktı; erkeğin, önce çıplak ayak olan, sonra bot giymiş ayak izleri bir ileri bir geri gidip geliyor ve sonunda batıya doğru elli adım atarak uzaklaşıyordu. Adela'nın adımları battaniyenin çevresinden başlayan çılgın bir koşturmacayla etrafa yayılıyordu. Adamın arkasından daireler çizerek elli adım koşuyor ve her adımında etrafa çamur sıçratıyordu. Bu kovalamaca otlak boyunca devam ediyor ve oradan korkunç avın yapıldığı süpürge darılarının olduğu yere uzanıyordu.

Justino kendini kötü hissetti. Katilin, onunla seviştikten sadece birkaç dakika sonra, Adela'yı neden öldürdüğünü açık-layamıyordu. Adela uysal ve sevecen bir şekilde ölümüne hazırlanmıştı. Özenle katlanmış giysiler, aşk battaniyesi, gizli bir yer, şafak vaktinin çıplaklığı coşkun bir kovalamaca ve bı-çaklanmayla sona eriyordu. Bu çılgın ve ölümcül kovalama-canın sebebi neydi?

Justino siyah etekle mavi bluzu aldı. Gül kokuyorlardı. Bu, Adela'nın katille bir ilişkisi olduğunu ve zorla soyunma-dığını gösteriyordu. En azından Ranulfo Quirarte'nin yırtık bluz hikâyesiyle örtüşmüyordu.

Justino çakısını çıkardı ve giysileri lime lime etti. İç çama-şırına ve battaniyeye de aynı şeyi yaptı. Bir dalla kendi ayak izlerini sildi. Nehre yürüyüp ayakkabılarla kumaş parçalarını attı. Parçalanmış kanıtlar akıntıda sürüklenen yaprak ve küspelerle yüzüp dibe battı.

Bulduğu kanıtları kasaba halkına göstermek hiçbir işe ya-
ramazdı; katilin Çingene olduğu fikrini değiştirmezdi. Sade-
ce gerçek, katilin onun kim olduğunu bulan kişiyle beraber
ortadan kaybolmasına sebep olurdu. Ayrıca Adela'nın şeh-
vetli, ateşli bir kız olduğu ve bedeninde hâlâ orgazmın izini
taşırken katledildiği fikriyle de ortaya çıkmak istememişti.
Ailesine daha fazla acı çektirmenin bir anlamı yoktu. En iyisi
işleri daha da karıştırmamak ve Çingene'nin, gerçekten ma-
sumsa, Loma Grande'ye bir daha dönmemesini, dönerse de
öldürülmemesini ummaktı.

Hava kararmaya başladı. Justino, âşıkların son randevula-
rını gerçekleştirmek üzere geldikleri yönün tam tersine doğ-
ru koştu. Loma Grande'den Pastores Kooperatifi'ne kadar
uzanan açık alanla birleşen, dikenlerle ve çalılarla korunan,
gizli ve takibi zor bir yoldu.

Gecenin gölgeleri arasında kalan Justino nerede olduğunu
anladı ve güneye; Rutilio Buenaventura'nın evine doğru yö-
neldi.

4

Rutilio, Çingene'nin kendisine hediye ettiği kasetçalarda
Tigres del Norte'nin[8] bir albümünü dinliyordu. Bu ve Caro
Quintero'yla hapishanede yapılan hayalî bir röportaj en sev-
diği kasetlerdi. Altmış yıllıktı. Çingene her ziyaretinde ona
dört, beş kaset getiriyordu. Onları ya benzincilerden ya da

---

[8] *Kuzeyin Kaplanları* anlamına gelmektedir.

kamyon sürücülerinin konaklama yerlerinden alıyordu. Farklı şeyler seçmeye çalışıyordu; içlerinde Kolombiya müzikleri, mambo, rock, polka ve hatta Özerk Tamaulipas Üniversitesinin sahasındaki en iyi futbol maçlarının radyo kayıtları vardı.

Rutilio kasetçalarıyla, bitmek bilmeyen kör saatlerin acısını hafifletiyordu. Yaklaşık sekiz yıl önce kör olmuştu. Aylarca böcek ilacı satan bir mağazada çalıştığı için körlüğünden kendisi sorumlu tutuluyordu. Aslında onu karanlıkta bırakan şey trahomdu[9]. Enfeksiyon o kadar şiddetliydi ki ona bakan doktor, göz yuvalarını boşaltmak ve o oyuklara iki uyduruk cam takmak zorunda kalmıştı.

Justino camdan baktı ve yaşlı adamın kulağında kulaklıklar, göz kapakları kapalı bir şekilde bir iskemlede oturduğunu gördü. Odanın içinde bir düzine tavuk dolanıyordu. Rutilio, etobur hayvanlar ya da rakunlar çalmasın diye tavukları evde tutuyordu. Geçimini tavuklarla ve Texas, Harlingen'de, *Seven Eleven* mağazasından çalışan kızının her ay gönderdiği 50 dolarla sağlıyordu.

- İyi akşamlar, diye bağırdı Justino camın arkasından. Tavuklardan biri korkup gıdakladı ve Rutilio'ya doğru kanatlarını çırptı ama yaşlı adam tepki vermedi. Parmaklarıyla ritim tutmuyor olsaydı uyuyor sanılabilirdi.

"İyi akşamlar," diye tekrarladı Justino; kör adam yine bir karşılık vermedi. Justino kapıyı açıp içeri girdi. Yavaşça Rutilio'nun omzuna dokundu. Kör adam sıçradı ve misket gözlerini açtı.

---

[9] Konjektiva ve korneayı saran kronik bir enfeksiyon.

- Kim var orada? diye sordu kulakları çıkarırken.

- Benim, Justino.

- Selam, ne büyük şans, dedi Rutilio, istediğin yere otur.

Justino onun yanına oturdu. Kör adam akşamları bir gaz lambası yakmayı alışkanlık hâline getirmişti; bu, evine neredeyse kimse gelmiyor olsa da, olası ziyaretçilerine karşı gösterdiği bir nezaket belirtisiydi. Justino onu görmekten hoşlanmıyordu; yapay bakışlarından rahatsız oluyordu. Yine de onunla iyi anlaşıyor ve sohbet etmeyi seviyordu.

- Tavuklarımdan biri öldü, dedi Rutillo, sanırım sıcaktan oldu.

Evin her köşesi pislikle ve kuş tüyüyle kaplıydı. Keskin bir koku dört bir yana yayılıyordu.

- Odamı sinekler kapladığı zaman öldüğünü anladım, dedi ve devam etti, işin kötüsü lanet sinekler gitmek bilmiyor.

Justino çatıya doğru döndü ve her yerin sineklerle kaplı olduğunu gördü. Sinek ilacı kullanmasını önermek üzereydi ama Rutilio'nun dezenfektan fobisini hatırladı.

- O yapışkan kâğıtlardan koy, diye tavsiyede bulundu.

Kör adam gülümsedi:

- Olmaz, çünkü sonra onları nereye koyduğumu unutuyorum ve o kâğıtlara yapışan ben oluyorum.

Justino da gülümsedi.

- Kahvem olmadığı için sana kahve içmeyi teklif edemiyorum, dedi Rutilio özür dileyerek, ama istersen tencerede kaynamış yumurta var.

- Hayır, teşekkür ederim, yeni yemek yedim, diye cevapladı Justino.

Tavuklar birer birer kör adamın, yatağın altına yaptığı yuvaya girdi. Hayvanların çıkardığı ses, kanat sesleriyle birleşiyor ve ortamı sakinleştiriyordu.

Kör adamın cinayeti duyduğuna dair en ufak bir belirti yoktu. Justino, Çingene konusunu nasıl açacağını bir türlü kestiremiyordu.

Rutilio temsilcinin gergin olduğunu hissedip yüzünü ona döndü. Cam gözleri gaz lambasının ışığında parıldadı.

Justino ürperdi.

- Yeni gelenlere daha çok toprak verecekler, dedi gergince, hislerini saklamaya çalışarak.

- Topraktan çok insan varsa bunu nasıl yapacaklar? diye soran Rutilio boşu boşuna bir cevap bekliyordu çünkü Justino sessizliğe gömülmüştü.

- Seni buraya hangi rüzgâr attı? diye sertçe sordu Rutilio.

- Sana bir şey sormaya geldim, dedi cam gözlere bakmamaya çalışan Justino.

Rutilio arkasına yaslandı:

- İstediğini sor, sadece fazla karmaşık bir soru olmasın.

Justino, Çingene'yle ilgili bilmeceyi çözmek üzere ona yan gözle baktı; acaba onun pazar sabahı ne yaptığını, Adela'yla bir ilişkisi olup olmadığını, kasabadan bu denli çabuk ayrılmasının nedenlerini biliyor muydu? Tüm bunlar tek bir soruda özetleniyordu:

- Çingene'nin ayak numarasını biliyor musun?

Rutilio bir kahkaha attı.

- O yalnızca benim arkadaşım; sevgilim değil, dedikten sonra bir süre daha gülüp sakinleşti.

- Bilmiyorum, diye devam etti, ama yanında sürekli eşya taşımamak için burada bir bavul bıraktı... İçinde ayakkabı olabilir.

Rutilio körlüğün yarattığı belirsizlikle odanın ucunu işaret ederek "Onun içine bak," dedi.

Justino kendisine söylenen yerde bez bir bavul buldu, yatağın üstüne oturdu ve onu karıştırmaya başladı.

- Peki, bunu niye sordun sen? diye sordu Rutilio.

Justino cevap vermedi; elinde bir çift spor ayakkabı tutuyordu. Çingene'nin masum ya da suçlu olduğu sorusunun cevabı bulunmuştu; spor ayakkabılar onun iki avucuna denk geliyordu.

- Yirmi dokuz buçuk[10], diye haykırdı Justino.

Rutilio yüzünü ona çevirdi.

---

[10] 45-46 numaraya denk gelir.

- José neye bulaştı ki? diye sordu; Çingene'yle olan samimiyetinden dolayı ona José diyordu.

Justino cevap vermeden önce derin bir nefes aldı.

- Gayet ciddi bir şeye, dedi ve spor ayakkabıları yeniden bavula koydu.

- Kadınlar mı? diye sordu kör adam.

- Evet, kadınlar; diye cevapladı Justino; 've yalanlar,' diye düşündü. "Yârenlik neden Çingene ve Adela arasında şiddetli bir itiş kakış sahnesi kurgulamıştı ki? Bununla eline ne geçecekti? Yoksa gerçek katil o muydu? Cinayet mahallinde bisiklet tekerleği izi görmediğini hatırladı. Ranulfo neden orada olduğuna yemin etmişti? Gizlemeye çalıştığı bir şey mi vardı, yoksa sadece basit ve aptal bir yalan mı söylüyordu?

Justino evden ayrılmak üzere ayaklandı. Çingene' nin masumiyetini kanıtlamıştı. Onu savunmak için hiçbir şey yapmayacaktı; neredeyse hiç tanımadığı ve kasabanın yabancısı olan bu adam için kendini ateşe atamazdı. 'Bu onun sorunu, benim değil,' diye düşündü.

Sadece içindeki suçluluk duygusunu biraz olsun hafifletebilmek için kapıdan Rutilio'ya seslendi:

- Çingene'yi görürsen ona dikkatli olmasını söyle... Çünkü onu öldürmek istiyorlar...

Rutilio bunu isteyenin kim olduğunu sormak istedi ama artık Justino'nun odadaki varlığını hissetmiyordu.

5

Rutilio bir kez daha tavukları ve karanlığıyla baş başa kaldı. Kulaklıklarını taktı ama 'başlat' düğmesine basmadı. Müzik dinleyecek hâli yoktu. Meşguldü. Çingene'yi çok severdi. Çocukları da dâhil olmak üzere kendisiyle ilgilenen, körlükle ilgili şikâyetlerini ve yaşlılığının yarattığı umutsuzluğu dinleyen tek kişi oydu. Onun sakar karanlığına bir tek o dayanıyordu. Şimdi de onu öldürmek istiyorlardı. Rutilio bunun sebebini biliyordu; Gabriela Bautista'ydı. O kadına bulaşmaması için onu kaç kez uyarmıştı! "Sonu kötü bitecek," diye ikaz ederdi; "kocası pisliğin biri ve sizi iş üzerinde yakalarsa bunun hesabını verirsin." Çingene meydan okurcasına gülerdi; yara izleri, boynuzlu kocaların ona zarar verememediğinin kanıtıydı. "Evet, ama Gabriela'nın kocası başkadır," diye ısrar ederdi Rutilio, "hiç beklemediğin bir anda bağırsaklarını deşiverir." Çingene, onun tavsiyeleri karşısında sadece omzunu sıvazlardı. "Benim için endişelenme; kötüye bir şey olmaz," derdi.

Bautista'yla buluşmalarının Çingene'yi şaşırttığı doğruydu; her seferinde daha çok riske giriyorlardı. Başlangıçta kasabanın farklı yerlerinde görülmeye özen gösteriyorlardı. Kimsenin bilmediği yerler ve uygun geceler arıyorlardı. Son zamanlarda dikkati elden bırakmış; arsızca davranıyorlardı. Sokakta birbirlerini şehvetle öpüyor; sabahları, kasaba yakınlarında buluşuyorlardı. Hatta Pedro'nun içki içmek üzere Loma Grande'den ayrıldığı hafta sonları Rutilio, çiftin evi yatakhane olarak kullanabilmesi için, kendi evinden gizlice ayrılmak zorunda kalıyordu. Âşıkların hasret gidermesini beklemekten sıkılan ve bu ilişkiye suç ortaklığı etmekten dolayı suçlanacağından korkup kendini bu işten sıyırmak isteyen Rutilio ilişkilerini başka yerde yaşamalarını istedi. Gabriela ve Çingene buna karşı çıkmadı; kör adam sırlarını saklayarak zaten onlara yeterince yardımcı olmuştu.

Sonunda Pedro Salgado, Rutilio'nun defalarca öngördüğü gibi Çingene'nin kanını döküp intikamını alacaktı. Ona bu kaçınılmazmış gibi geliyordu; Çingene evli bir kadınla birlikte olarak fazlasıyla riske girmişti. Pedro dalga geçilen adam olarak haklıydı ve rakibini tuzağa düşüreceği için suçlanamazdı; öldürmek hakkıydı. Rutilio arkadaşını hiçbir şekilde savunamayacağını ve onun için yapabileceği tek şeyin ona haber vermek; tetikte olmasını sağlamak olduğunu biliyordu. Ama bir kör olarak bunu nasıl yapabilirdi ki? Odasından dışarı bile çıkamazken ona nasıl haber verecekti? Onu nerede bulacaktı? Onu bulup haber vermesi için kime güvenecekti? Çingene'nin -kedi gibi dokuz canlılığıyla- ölümden bir kez daha kurtulmasını beklemekten başka yapacak bir şeyi yoktu.

6

Justino Téllez'in siniri hoşnutsuzluğa dönüştü. Yârenlik herkesi yalanlarıyla kandırmış ve bu aldatmaca, önüne geçilmesi imkânsız bir yere varmıştı. Çingene'nin diğerlerinin gözünde Adela'nın katili olduğu şüphe götürmezdi; artık kimse masumiyetini kanıtlayamazdı. Onun suçlu olduğunu kabul etmekten başka çare yoktu. Yine de Justino son bir detayın daha doğruluğunu kanıtlamak istiyordu.

Kapıyı çaldı. Yari çıplak, pis ve terli bir çocuk kapıyı açtı.

- Baban evde mi? diye sordu Justino.

Çocuk arkasını döndü ve kırk saniye sonra Ranulfo Quirarte; Yârenlik göründü.

- İyi akşamlar, diye selamladı.

Justino'nun ağzında hâlâ öfkenin yarattığı ekşi bir tat vardı ve onun yüzüne tükürmeyi gerçekten de çok isterdi.

- İyi akşamlar, diye cevap verdi.

- İçeri geç, diye onu davet etti Ranulfo.

- Yok, teşekkürler, acelem var.

Ranulfo alnını sokan bir sivrisineği öldürdü.

- Sana nasıl yardımcı olabilirim?

Justino ne cevap vereceğini düşündü; Yârenlik'in, yalanını fark ettiğini anlamasını istemiyordu.

- Baksana Ranulfo, bir gece önce Çingene'yi merhumla birlikte gördüğünü söyledin, öyle değil mi?

Ranulfo gergindi; yutkundu.

- Evet, görmesem gördüm demezdim.

Justino "Doğru, evet şimdi hatırladım," diyerek başını salladı ve "Ah, evet, hatırladı," diyen Ranulfo da kendi başını salladı.

- Kız ne giyiyordu? diye sordu Justino.

Ranulfo olduğu yerde donakaldı; kendisine bu soruyu sormalarını beklemiyordu. Bir cevap uydurmak zorundaydı.

- İyi göremedim, çok karanlıktı.

Justino birkaç saniye sessiz kaldı.

- Bluzunun yırtık olup olmadığına dikkat etmedin mi? diye sordu.

Ranulfo yeniden, vereceği cevabı düşündü. Ne tereddüt edebilir ne de çelişkili cevaplar verebilirdi.

- Evet, tüm gücüyle çekiştirince kızın elbiselerini yırttı, dedi.

- Lanet, diye fısıldadı Justino.

- Bu kadar soruyu niye soruyorsun? diye sordu Yârenlik.

Temsilci başını doğrulttu.

- Hiç, öylesine, dedi.

Ranulfo evin içini işaret etti.

- Gerçekten içeri geçmek istemez misin? Annem geyik etinden sosis hazırlıyor.

Justino pişen etten yayılan kokuyu içine doldurdu. İştahı kabarmıştı.

- Hayır, teşekkürler, dedi ve, ama bana birazını hediye etme inceliğinde bulunursan... diye ekledi.

- Tabii ki, dedi Ranulfo ve içeri daldı.

Justino ayakkabıların yanına gitti. Eğildi ve Ranulfo'nun ayağını ölçtü. Ama hayır; katil o da değildi. Ayağı bir karış, bir parmak uzunluğundaydı.

'Lanet olsun, bu adamın ayakları çocuk ayağı kadar,' diye düşündü; 'ayak numarası yirmi dört buçuk olmalı[11].'

Yârenlik naylon poşete koyduğu etle onun yanına döndü. Eti temsilciye verdi.

- Teşekkürler, dedi Justino, bir yandan eti tartarken; neredeyse bir kilo.

Ranulfo onun gitmesini bekleyerek kapının önünde durdu:

- Sonra görüşürüz, dedi Justino üzerine basa basa. Ranulfo' nun sesini duyduğunda uzaklaşmak üzereydi:

- Gördüklerimin onlar olduğuna yemin ederim.

Justino geri döndü; Yârenlik kımıldamamıştı.

- Gerçekten; onları gördüm, diye yineledi Ranulfo; bakışları öyle ikna ediciydi ki Justino gerçeğin ne olduğunu bilemedi.

- Sana inanıyorum, diyerek onu temin etti ve Yârenlik'in pazar gecesi gerçekte ne gördüğünü hayal etmeye çalışarak uzaklaştı.

---

[11] 39,5 numaraya denk gelir.

XII

SALI

1

Salı günü, sıcak yüzünden, yine öncekiler gibi tatsız bir gün doğdu. Dul Castaños, yiyecek arayışıyla burunlarını en yakın domuz ağılına sokan yavru domuzların gazap dolu çığlıkları yüzünden erken uyandı. Oğlu onlara iki gündür yemek vermediği için böyle kederli bir durumdaydılar. Evden çıktı ve bir haftalık yemek artıklarını koyduğu çantayı alıp yiyecekleri tahtaların üzerine saçtı. Domuzlar yemek artıkları için gürültülü bir kavgaya girişti. Yiyecekleri anında silip süpürdüler ve gövdelerini yeniden çiftlik avlusuna doğru sürüklediler. Evdeki ekmek ve patates kıtlığından, dul kadın bir paket Marías galetası açtı.

Bir yandan ellerini silkelerken "Bitti," dedi.

Onları serbest bırakmaktan hoşlanmıyordu. Kasabadaki diğer insanlar kendi yiyeceklerini bulmaları için onları salardı ama hayvanların çürümüş et ya da dışkı yeme olasılığı kadının midesini bulandırıyordu. Domuz pirzolası yiyen kuzeni Dolores'in bağırsaklarını tenyalar sarmıştı.

Henüz güneş yükselmemişti ama şimdiden sıcak ve nemli bir hava vardı. Dul kadın ocağa fasulye koyup sarımsak soymaya başladı. En büyük oğlu Gelasio'yu düşünüyordu. Onu görmeyeli bir yıldan fazla olmuştu. Yeşil kart almıştı,

112

Kansas'ta yaşıyor ve traktör şoförü olarak çalışıyordu. Gelasio, Ramón'u, bu kavgada ölen kişinin kendisi olacağına ikna ederek, Çingene'ye saldırmaktan caydırabilecek tek kişiydi. Ne yazık ki Gelasio üç bin kilometre uzaklıktaydı ve kadın -ne kadar isterse istesin- küçük oğluna yardımcı olabilecek bir konumda değildi.

Fasulye kaynamaya başladı. Dul kadın doğradığı sarımsakları tencereye attı. Yemekten çıkan buhar onun daha da terlemesine neden oldu. Nemli bir bez alıp yüzünü sildi. Ocağın yanından uzaklaşıp Ramón'la kendi odasını ayıran duvara doğru yürüdü. Gölgeliği aralayıp uyuyan oğluna baktı. Olabileceklerden korksa da onunla gurur duyuyordu; Ramón bir erkek gibi davranmıştı. En azından korkularına yenilmemişti ve bir korkak gibi davranmanın acısını çekmeyecekti. Dul kadın bütün bunların yarattığı hüznü biliyordu; merhum kocası Graciano Castaños hayatını gençken yaşadığı bir korkaklıkla geçirmişti. Bu anı, canını o kadar yakıyordu ki ne olduğunu hiç kimseye hiçbir zaman anlatmamıştı. Yanlış kararının onu korkaklığa taşıdığı o ana dönebilmek için hayatının on yılını verirdi. Ne olduğunu sadece kendi bilse de geçmişte yaşadığı o tereddüt anı onu tükettiği için ölmüştü.

Dul kadın ocağı kapadı. Odayı dolduran buhar onu bunaltmıştı. Zaten yaz mevsiminin boğucu sıcağına zor dayanıyordu. Yalnız ve üzgün hissetti. Kocası ölmüş, altı çocuğunun beşi dünyanın bir ucuna gitmiş, altıncısı ise ölümle sonuçlanabilecek bir meydan okumaya girmişti. En kötüsü de en iyi arkadaşı Raquel Rivera'nın Aguascalientes'e gitmiş olmasıydı.

Ramón'u uyandırmak, onun yanında oturup onunla saatlerce konuşmak, onun varlığının sıcaklığını ve sesini ciğerlerine doldurmak istedi.

Pencere pervazına doğru yaklaştı ve ekim için Salado Çiftliği'ne gidecek olan pamuk kamyonunu gördü.

'Altı buçuk,' diye düşündü.

Cüzdanını aldı, terli yüzünü bir kez daha sildi ve Prudencia Negrete'den süt almak üzere sessizce evden çıktı.

2

Gördüğü hayaller yüzünden bitkin uyandı. Bir kez daha Adela'nın nefesini ensesinde hissetmişti. Sıçradı ve gözlerini açtı; kızın varlığını, arkaya doğru taranmış saçlarını, açık alnını, renkli gözlerini, uzun ve çıplak bedenini karanlıkta seçebiliyordu. Adela gülümsüyordu. Sevgi sözcükleri mırıldanıyordu. Kucaklaşıyorlardı. Ramón onun yumuşak tenini, hassas göğüslerini, kaygan karnını, bedeninin kan içinde kalan kıvrımlarını, ıslak ve yapışkan yarasını okşuyordu. Korku içinde yatağın ucuna geçti ve Adela'nın hayaletinin çarşafların arasında kaybolduğundan emin olmadan tekrar uyuyamadı.

Salado yoluna koyulan kamyonun sesine kulak kabarttı.

- Yedi olmalı, diye üzgünce mırıldandı. Geç uyanmıştı. Genelde dükkânı sabah beşte açardı. O saatte -hava henüz aydınlanmamışken- şoförler gelir, Ramón jambon, patates, çörek alır ve işe koyulmadan önce sohbet ederlerdi. Saat sekize; kadınlar alışveriş yapmaya gelinceye kadar dükkânda başka hareket olmazdı.

Şiltenin ucuna oturdu. Kâbus görmekten bitkin düşmüş olsa da kendisini Adela'ya bağlayan başka bir şey daha olduğunu fark etti; birlikte geçiremedikleri anlara yoğun bir özlem duyuyordu. Doğrulup aynaya baktı; hâlâ Pedro'dan aldığı gömleği giyiyordu. Gömleği ilk fırsatta ona geri vermeliydi. Aksi takdirde kuzeni gömleği arakladığını düşünecekti. Pedro'nun diğer pamuk işçileriyle birlikte Salado'ya yola çıkmış olma ihtimali oldukça yüksekti ama bu çok da önemli değildi; gömleği Gabriela'ya verirdi.

Sanki üç gün boyunca aralıksız odun kırmak gibi, tükenmiş hissetti. Kasları ve bacakları ağrıyordu. Gömleği çıkarıp kenarları yırtık olan mavi bir tişört giydi. Mutfağa yöneldi. Su dolu bir bardağa üç kaşık tuz koydu, ağzını çalkaladı ve yere tükürdü. Bunu ona bir dişçi önermiş, ağızdaki kötü tadı geçirmenin en iyi yolunun bu gargarayı her gün yapmak olduğunu söylemişti. Annesinin odasına bir göz attı ve onun orada olmadığını fark etti. Çabucak evden çıkmaya, gömleği verip bir an önce dükkâna gitmeye karar verdi.

3

Kapıyı üç kez çaldı ama açan olmadı. Dördüncü çalışında, yüzünde hâlâ yastık izleri olan Gabriela Bautista kapıyı açtı.

- Günaydın, dedi Ramón.

Gabriela onu gördüğüne şaşırmıştı. Ramón sevdiği adamı öldüreceğine yemin etmişti ve bu saatte evinde ne aradığını bilemiyordu.

Kendini savunmaya alarak "Ne oldu?" diye kabaca sordu.

Ramón elindeki gömleği uzattı.

- Pedro onu bana pazar günü vermişti; geri getirmeye geldim.

Gabriela ona tuhaf davranıyordu. Bir bakıma Ramón onun düşmanı sayılırdı. Onun gerçek niyetini anlamaya çalıştı.

- Pedro evde değil, dedi sertçe.

- Biliyorum.

- Öyleyse ne istiyorsun? Ben meşgulüm.

Ramón, Gabriela'nın ters davranışına şaşırdı. Ne kaba ne de suratsız biriydi aslında.

- Hiç, hiçbir şey istemiyorum, dedi Ramón ve Gabriela' nın saldırganlığının yeni uyanmaktan kaynaklandığını düşündü. Daha fazla rahatsızlık vermek istemedi. "Kuzenime selam söylersin," diyerek veda edip oradan hızlıca uzaklaştı.

- Lanet olsun, dedi Gabriela öfkeyle ve kapıyı çarptı.

Huzuru kaçmış; rahatsız olmuştu. Ramón'un ziyareti onu sarsmıştı. Sakinleşmek için derin derin nefes alıp verdi ama içindeki duygu yoğunluğundan kurtulamadı. Şehvet, aşk, tutku, zevk, suç birleşmiş ve tek bir duyguya; korkuya dönüşmüştü. Bu, saçma sapan bir durum, bir yanlış anlaşılma ve çevrilen kötü bir oyun sonucunda alınacak olan intikam korkusuydu. Gizli sevgili ve aynı zamanda bir eş olma korkusuydu. Çingene'den, Pedro'dan, Ramón'dan korkuyordu.

Hepsinden çok kendinden korkuyordu. Onu en çok bu kızdırıyordu; sevdiği adamı kurtaracak cesareti yoktu. Bu, sadece onu, katili olacak bir çocuğun, silahı eline alacağı an titreyecek olan ellerinden kurtarmak anlamına gelmiyordu; aynı zamanda yanlış bir cinayet işlemek için can atan bütün bir kasabaya engel olmak demekti. Onu, doğruyu söylemesi karşılığında kendisini öldürecek olan insanlara karşı savunmak zorundaydı. O hâlde susması gerekiyordu. Hayatta kalabilmek, zayıf yürekliliği ve kararsızlığıyla çürürken yaşamaya çalışmak için susmak zorundaydı.

İçi su dolu bir bardak alıp suyu başından aşağı boşalttı. Bunu her yaz sabahı yapardı. Sıcağı kırabilmek için büyükannesinden öğrendiği bir yöntemdi. Su karman çorman olmuş kafasından aşağı kaydı ve ensesini serinletti. Bir tümör yüzünden yara bere içinde kalmış bacaklarıyla sallanan sandalyede oturan büyükannesini hatırladı. İyileşme şansı olmayan kadın yaşayamayacağı ve -kendisine göre- artık geriye dönüp düzeltemeyeceği şeylere üzülüyordu.

- Burada kaldım kızım, bu lanet sıcakta burada öylece kalakaldım, derdi Gabriela'ya, çünkü insan gerçekten öleceğine bir türlü inanamıyor. Ölecek olduğumu bilseydim çoktan buradan ayrılmış olurdum ama şimdi berbat bir durumdayım ve hiçbir yere kıpırdayamam. En kötüsü de geri dönmemi sağlayacak olan o lanet geri vitese takamıyor olmak.

Bunun üzerine yaşlı kadın "Lanet olası geri vites," diyerek gülmeye başlar; bacaklarındaki atrofiyle, tümörle, güneşin altında tükenen hayatıyla, ölümün onu kemirip duran acılarıyla dalga geçerdi. Ölüm... Büyükannesi ölmeden bir gün önce torununun kulağına "Ölmek istemiyorum," diye fısıldamıştı. Ertesi gün onu gömmüşlerdi. Gabriela büyükannesini sıkıcı hayatını yaşamayacağına söz vermişti; canı ne istiyorsa onu yapacaktı. Öyle olmadı; tıpkı onun gibi, zamanı geri çevirmenin yollarını ararken toza dönüşüyordu.

Başından aşağı bir bardak su daha boşalttı ve sırılsıklam oluncaya kadar bu hareketi tekrarladı durdu. Perdeleri kapadı. Soyundu, yatağa girip radyoyu açtı. Göl kenarındaki yoldan gelen bir kamyon sesi duyuncaya kadar bir süre tropikal müzik dinledi.

"Bu o," diye düşündü; "o olmalı."

Çabucak üzerine bir elbise geçirip kapıya koştu. Onu görür görmez önüne fırlayacak, kamyonete binecek ve ondan beraber kaçmalarını isteyecekti. Böylece hem onun hem de kendi hayatı kurtulacaktı.

Kupkuru boğazı ve yola dikili gözleriyle birkaç saniye boyunca bekledi. Gelenin Çingene değil de etrafı toza boğarak hızla ilerleyen iki kurşun mavisi kamyon olduğunu görünce hayal kırıklığına uğradı.

4

"İnekler grev yapıyor," dedi Prudencia Negrete, "bugün neredeyse hiç süt vermediler." Astrid Monge ve Anita Novoa zorla gülümsedi. Yaşlı Negrete ciddi ve bir dakikası diğerini tutmayan bir kadındı. Fakat o sabah neşeliydi.

- Ben beş kilo alacağım, dedi Astrid; annesi sütü peynir yapmakta kullanıyor ve daha sonra o peyniri Pastores'in gezici vaizlerine satıyordu.

- Yok ki... Olanı da Nestlé arabasına verdim, dedi Prudencia; doğruyu söylüyordu. Sabah erken saatte Nestlé müşterileri gelmiş ve kadının beş ineğinden sağdığı on iki litre sütü almıştı.

Anita, çaktırmadan Astrid'e içinden süt sızan bir kovayı gösterdi.

- Peki, oradaki ne? diye sordu Astrid

Prudencia kovaya bakıp güldü.

- O işe yaramaz. Hasta bir hayvanın sütüydü ve topak topak oldu. İstersen onu sana hediye ederim, dedi ve topallayarak yanına gittiği bir şifonyer çekmecesinden cam bir şişe çıkardı.

- Bu kadar kaymak var, ister misin?

Astrid başını salladı ama Anita şişeyi aldı.

- Ben alırım, dedi, kaç para?

Prudenica sol elinin parmaklarıyla bir hesap yaptı.

- Üç bin peso, diye cevapladı ve yeniden Astrid'e dönüp, kapora bırakırsan sana süt ayırabilirim, dedi.

- O hâlde bana on litre ayır, dedi Astrid ve kadına yirmi bin peso uzattı.

- Bozuk param var mı bakayım, dedi Prudencia ve eve girdi.

Anita ve Astrid "Günaydın" sözcüğünü duyup arkalarını döndüler. Dul Castaños süt almaya gelmişti. Kadın üzgün görünüyordu.

- Prudencia yok mu? diye sordu.

- Birazdan gelir, diye cevapladı Anita.

Bir sessizlik oldu. Üçü de mecburen konuşulacak olan konudan kaçınıyordu. Dul kadın kendisini soktuğu sıkıntı yüzünden, Astrid pek çok şeyden haberdar olduğunu göstermek istemediğinden ve Anita kendisini ilgilendirmeyen bir şeye karışmak istemediğinden konuşmuyordu.

Prudencia elinde yirmi binlik banknotu tutarak evden dışarı çıktı.

- Bozuğum yok, dedi ve sanki bir hayalet görmüş gibi dul kadının önünde hayretler içinde kalakaldı.

- Günaydın, dedi dul kadın.

Başka ne diyeceğini bilemeyen Prudencia "N'aber Pancha?" diyerek karşılık verdi.

- Süt var mı?

- Hayır, bitti.

Dul kadın bakışlarını indirip derin düşüncelere daldı. Süt olmamasına üzülmüş gibiydi. Astrid ona gerçeği söylemek istedi. Yapmadı; onu rahat bırakmaya karar verdi.

Prudencia hızla ilerleyen iki polis aracını fark etti.

- Polis geliyor, dedi. Dul kadın arkasını dönüp Justino Téllez'in evinin önüne park eden kamyonetlere baktı.

5

Justino motorun sesini duyduğu zaman Carmelo Lozano çoktan camdan onu gözetlemeye başlamıştı.

- Ne haber Pençeli? diye şefi selamladı.

Justino kahvaltı etmek için oturduğu iskemleye tembelce yaslandı.

- Hiç işte Toynaklı, dedi keyifsizce; Lozano'yla eski günlerdeki gibi selamlaşıyor olmaktan sıkılmıştı.

- Beni içeri davet etmeyecek misin? diye sordu Carmelo.

Justino kollarını açtı.

- Başka ne yapabilirim ki, diye ona bakmadan cevapladı.

Polis şefi uzun bacaklarından birini kaldırıp bir sıçrayışta camdan içeri girdi.

- Kapıyı bunun için yaptılar, dedi Justino.

Carmelo alaycı bir şekilde güldü.

- Biliyorum, sadece bu şekilde kız kardeşinin yanına sokulduğum o şehvetli geceleri hatırlıyorum.

Justino, kız kardeşi olmadığı için polisin kaba şakasını ciddiye almadı. Carmelo bir sandalye çekip masanın karşısında oturdu.

- Kahvaltıda bana ne vereceksin?

Justino cevap vermedi. Onun yerine içinde üç tane kızarmış çipura balığı bulunan tencerenin kapağını kaldırdı.

- Tam atıştırmalık, dedi Carmelo, bana omlet ver.

Justino omleti özenle polisin önüne koydu. Carmelo balıklardan birini alıp kılçıklarını dikkatlice ayıkladı. Balık etini omletin üzerine koydu, üzerine limon sıkıp bolca tuz döktü ve dört lokmada mideye indirdi.

Polis şefi sakince üç sandviç daha hazırladı; Justino'dan kendisine üç muz hediye etmesini istedi -hepsini anında yedi- ve yemeği bitince Tampico'daki beysbol maçının saat kaçta olduğunu sordu.

- Akşam sekizde, dedi Justino kendinden emin.

Carmelo cevabı ilgiyle dinledi, "Akşam sekizde," diye tekrarladı, ayağa kalktı ve kahvaltı için teşekkür etti.

Carmelo'nun polis öngörüsüyle yakında onu sıkıştırmaya başlayacağını bilen Justino "Bir şey değil," diye cevapladı.

Komiser bir kâğıt havluyla ağzındaki yağı ve balık artıklarını sildi. Gömleğinin kollarını sıvadı, başını kaldırdı ve iç geçirdi.

- Pazar günü olanlarla ilgili senin çok şey bildiğinin ikimiz de farkındayız dostum, dedi, beni anlıyor musun?

- Hiçbir bok anlamıyorum, diye cevapladı Justino; rahatsız olmuştu.

Carmelo ellerini alnına götürdü.

- Açıklayayım, dedi. Ellerini başından çekip havaya bir daire çizdi ve konuşmaya devam etti; "Bak arkadaşım, açık konuşacağım; öldürülen kız yüzünden bir ceset daha çıktığını öğrenirsem ilk geleceğim kişi sen olursun... Herhangi bir karmaşa çıkarsa seni içeri tıkarım."

Justino, Carmelo'yu tehdidinin yalandan olduğunu ve sadece kendisini kışkırtmak için yapıldığını bilecek kadar iyi tanıyordu, yine de oyunu sürdürdü.

- Git seni rahatsız edenlerle konuş, bana niye bulaşıyorsun?

Lozano gülümsedi.

- Çünkü şişman ve yaşlısın. Ayrıca seni yakalamak daha kolay. Diğerleri hızlı koşuyor. Üstelik buradaki yetkilinin sen olduğunu söylemiyor musun?

- Eee?

- Olanların sorumlusu sen değilsen kim olacak ki?

- İşte o yüzden, diye karşı çıktı Justino, bırak da buradaki işleri kendi bildiğim gibi halledeyim. Sen Mante'ye huzur içinde dön. Sonra sana neler olduğunu anlatırım.

Carmelo, Justino'yu omzundan kavradı ve karaciğerine vuracakmış gibi yaptı. Justino da aynı şekilde bu darbeden kaçınma numarası yaptı.

- Hiç değişmiyorsun arkadaşım; hep inatçısın, dedi komiser ve ekledi, tamam, artık seninle uğraşmayacağım.

Carmelo oradan ayrılmak üzere kapıyı açtı ve yüzüne bir sıcak hava dalgası yayıldı. Avucunu gözlerine siper ederek parlak ışıktan korundu.

- Bu nasıl bir sıcak; tam tavuk pişirmelik, dedi.

Justino kapıya yürüyüp gözlerini kaldırdı; gökyüzünde tek bir bulut bile yoktu. Bakışlarını indirdi ve Carmelo'nun çıkmasını beklerken kamyonetlerinin arkasına yığılmış, güneşten kavrulan sekiz adamı gördü. Justino onlara acıyarak baktı.

- Adamların kavrulmuş, dedi alaycı bir şekilde.

Carmelo umursamadan cevapladı:

- Alışıklar... Ayrıca güneşlenmeye ihtiyaçları vardı.

Memurlarına döndü ve el işareti yaparak içlerinden birini yanına çağırdı. Adam lastikten yapılmış gibi sıçrayıp Carmelo'nun önüne geldi.

- Emrinizdeyim, komiserim.

Carmelo polisi baştan ayağa süzdü.

- Çavuş Garcés, beysbolu sever misin?

- Evet, efendim.

Carmelo ağzını şapırdatarak Justino'nun onlara kulak kabartmasını sağladı.

- Duydun mu? Beysbol seviyor.

Justino öfkeyle onayladı.

- Hangi takımı tutuyorsun çavuş? diye sordu Carmelo.

- Alijadores de Tampico.

- İyi oyuncuları var mı?

- Evet, efendim.

- Peki, maç izlemeye gidemediğin zaman ne yapıyorsun?

- Radyodan dinliyorum.

- Aaa, ne güzel. Bugün oynuyorlar mı?

- Evet, efendim.

- Saat kaçta?

- Akşamüstü altıda.

- Altı mı? Sekiz değil mi?

- Hayır efendim, altı.

- Emin misin?

- Evet, efendim.

- Teşekkürler çavuş, çekilebilirsin.

Polis uzaklaşıp yeniden kamyonete çıktı. Carmelo, Justino'ya yaklaştı.

- Ya yalancısın ya da ayda yaşıyorsun.

- Ya da beysboldan hoşlanmıyorum, diye düzeltti Justino.

- Öyleyse neden sekizde oynayacaklar diye uyduruyorsun?

Justino omuz silkti.

- Böyle davranarak sana güvenmemi nasıl beklersin? diye alay ederek sordu komiser.

- Öyle işte.

Carmelo elini Justino'nun omzuna attı ve ondan arabasına kadar kendisine eşlik etmesini istedi.

- Şimdi kış yaklaştığına göre ördek mevsimi geliyor demektir. Ava çıkacak mısın?

- Evet, dedi Justino. Birkaç defa beraber avlanmışlardı. Parkta polisler dolandığı için sadece tabancayla avlanıyordu.

Carmelo kapıyı açtı, camı indirip koltuğa oturdu.

- Görüşürüz arkadaşım, dedi, insanların silahlanmasına izin verme.

Çavuş Garcés kamyonetin kasasından indi ve diğer koltuğa oturdu. Öteki polisler de kendi kamyonetlerine dağıldılar.

- Kızı öldürenin kim olduğunu söylemeye karar verdiğin zaman bana haber ver. O sırada da Ramón'a göz kulak ol; sinirleri bozulup da kötüleri avlamaya kalkmasın.

Komiser adamlarıyla birlikte oradan ayrıldı. Justino'nun hiç şüphesi yoktu: Carmelo Lozano nerede olursa olsun kan kokusunu alıyordu.

XIII

ÇİFT NAMLULU 25 KALİBRELİK
DERRINGER DAVIS

1

Pazar gecesi -kaçakçı- Lorenzo Márquez'den, anlaştıkları gibi, yirmi kasetçalar satın aldı ve pazartesi öğlen, kendisi sadece seksen beş peso ödemişken, on sekizini iki yüz bin pezoya satmıştı. Onları, dokuz yüz hektarlık bir alana süpürge darısı ekmeleri karşılığında pazartesi sabahı komisyonlarını alan bir grup harman makinesi teknisyeninden almışlardı. Çingene'nin şansına, adamlarla anayolla tren yolunun birleştiği yerde karşılaştığında, hepsi yarı sarhoş ve para yüklüydü. Bitişikteki ucuz bir lokantada devasa makinelerini taşıyan trenin lokomotifinin tamir edilmesini bekliyorlardı. Çingene için kolay sayılabilecek bir satış olmuştu. İçlerinden birinin bir kasetçalar alması yetmiş, diğerleri de ondan geri kalmamak için alış veriş yapmışlardı.

O gece, onlarla, vagonda uyudu. Yeniden yola koyulmaya hazırlanan lokomotifin ani hareketiyle uyandı. Çabucak aşağı inip trenin güneye, Abasolo'ya doğru hareket edişini izledi. Hava aydınlanıyordu. Çoktan hizmete başlamış olan ucuz lokantaya doğru yürüdü. Sütlü kahve ve yağda yumurta istedi. Sadece bir günde iki milyon pezodan fazlasını kazanmıştı.

Bu, ay sonuna kadar rahat etmesini sağlayacak bir paraydı. En azından bir hafta boyunca hiç çalışmamaya karar verdi.

Garson kız kahvaltısını getirdi. Zayıf, hoş, narin hatları ve yuvarlak kalçaları olan bir kızdı. Birkaç gün boş olacağından, onu baştan çıkarmayı deneyebilirdi ama kızla ilgilenmedi bile.

Elinde bu kadar çok para olunca planları değişmişti. Casas'taki çiftlik evlerine gitmeyi, hatta Las Menonas'ı ziyaret etmeyi düşünmüştü; oradaki *Menonit*lerden[12] biri elektronik alet ya da başka değerli bir mal almak isteyebilirdi. Sonra Mante şehrine geçecek; yol kenarındaki köylerde mal satmayı deneyecek, oradan da, iki üç hafta içinde, Loma Grande'ye dönecekti. Şimdiyse fazlasıyla vakti vardı ve ne yapacağını ya da nereye gideceğini bilemiyordu.

Kahveye banabileceği bir çeşit ekmek siparişi verdi. Ona bakan garson kız onlardan bulunmadığını söyledi. Wonder çörekleriyle idare etmek zorunda kaldı. Lezzetli görünüyorlardı ama fincana batırıldıkları anda dağılıyorlardı. Sonunda onları kaşıkla yedi.

Boş kahve fincanını bir kenara itti. Başını masanın üzerine koyarak izleyeceği rotayı düşündü. Soto Marinası'na doğru devam edebilir, Laguna Madre'de[13] balık tutabilir ya da Cadereyta'ya gidip boğaları izleyebilir veya doğrudan Tampico'ya gidip ailesini, arkadaşlarını ve gençken gittiği genelevleri ziyaret edebilirdi. Bütün seçenekleri gözden geçirdikten sonra Aztecas'a gitmeye karar verdi.

---

[12] 16. yüzyılda kurulan Menonit Tarikatı üyeleri.
[13] 'Ana Göl' anlamına gelir.

Aztecas, Ánimas Gölü'nün çevresindeki en gelişmiş köylerden biriydi. Orada yaklaşık dört yüz insan yaşıyordu. Ayrıca elektriği, büyük binaları, telefon kulübeleri, üç tane asfalt döşenmiş caddesi ve benzincileri olan tek yerdi. Çingene'nin Aztecas'ı seçmesinin iki ana sebebi vardı: Orada oldukça önemli düzeyde pamuk ticareti yapılıyordu ve parasını buna yatırabilirdi, ayrıca Loma Grande'ye sadece yirmi kilometre uzaklıktaydı.

Hesabı istedi, parasını ödedi, San Fernando'da basılan yerel bir gazete aldı. Manşetlerde Nuevo Laredo'da satanist homoseksüellere yapılan baskın ve çalışanlara yapılan eleştiri vardı. Çingene sayfalara şöyle bir göz attıktan sonra onları top yapıp yere attı.

'Hep aynı şey,' diye düşündü.

Çocuk gazeteyi yerden aldı, sayfaları düzleştirdi ve onu yeniden satmak üzere diğerlerinin yanına koydu.

2

Sabah saat onda Ramón'un dükkânına doluşmuşlardı. Torcuato Garduño, Pascual Ortega ve Macedonia Macedo, Ramón'un düşmanını nasıl ortadan kaldıracağını bütün ayrıntılarıyla öğrenmek ve gelişmeleri izlemek için büyük bir heves duyuyor, rengârenk boyanmış, üzerlerinde *Pepsi Cola* logosu olan metal sandalyelere oturmuş, bira içiyorlardı. Bir süre gündelik konuşmaları yaptıktan sonra Pascual, Ramón' la açık konuşmaya karar verdi:

- Onu nasıl öldüreceğine karar verdin mi?

- Hayır, diye cevapladı Ramón.

Torcuato sandalyeden kalkıp onun yanına gitti.

- Karar versen iyi olur, dedi, çünkü Çingene'yi yere sermek pek de kolay değildir.

Çingene'nin Loma Grande'ye dönmesine haftalar vardı; tabii dönerse... Her ayın ilk cuması gelmeyi alışkanlık hâline getirmişti. Cinayeti planlamak için yeterince zaman vardı. Bütün bunları ona Macedonio anlatmıştı.

- Peki ya şimdi gelirse? diye sordu Torcuato. Buradan canlı çıkmasına izin mi vereceğiz? Hayır bayım, buna şimdi karar verilmesi gerekiyor. Ramón'un o orospu çocuğunun dönüşüne hazırlıklı olması gerekiyor.

Ona hak verdiler ve dördü baş başa verip cinayet yollarını düşündüler. Onu takip edip avlamak zor olurdu; Çingene hem her zaman tetikteydi, hem de bu iş için bir av tüfeğine ihtiyaç vardı ama Loma Grande'de sadece iki kişi öyle bir tüfeğe sahipti. Onlardan biri Omar Carrillo'ydu ve silahı bazen çalışır bazen çalışmazdı; bu böylesi ciddi bir iş için fazla riskli olurdu. Diğeri ise Ranulfo Quirarte; Yârenlik'ti. O da on altı kalibrelik silahını hiç kimseye vermezdi. Bıçak da iyi bir seçim olmazdı; Çingene'nin sırtını zaten bir kez deşmişlerdi ve hiç kimsenin yanına, aralarında üç metre mesafe bırakmadan, yanaşmasına izin vermezdi.

Pek çok yöntemi eledikten sonra, dört adam, Ramón' un onu tabancayla vurmasına karar verdi; hem küçük bir silahtı hem de kullanımı kolaydı. Yine de çözülmesi gereken bir konu vardı: Ordu sürpriz bir şekilde bütün bölgede silahsızlanma operasyonu başlatmıştı. Sadece birkaç kişi silahlarını saklayıp onlara el konulmasını engelleyebilmişti. Onların içinde güvenebilecekleri tek kişi, Ramón'un en yakın arkadaşı Juan Prieto'ydu. Geriye bir tek onun da kendilerine dâhil olup olmayacağını ve her şeyden önemlisi, silahını ödünç vermek isteyip istemeyeceğini öğrenmek kalıyordu.

3

Juan Prieto, Ramón'la aynı yaştaydı ama ondan daha büyük duruyordu. On beş yaşında çiftçilik yapmak üzere göç etmiş ve yasadışı göçmen kontrolünün neredeyse hiç yapılmadığı Portland, Oregon'a gidecek şansı elde etmişti. Bir Çin lokantasında bulaşıkçı olarak iş bulmuştu. Dört ay içinde iş değiştirmiş; bir sigorta şirketinde tuvalet temizlemişti. Sonra, her hafta saç rengini değiştiren iri yarı bir kadına ait olan "Susie'nin Barı" adlı bir genelevde yeniden bulaşıkçılık yapmaya başlamıştı. Juan Prieto, orada sadece üç ay çalışabilmişti çünkü Susan Blackwell, o şişman kadın, geciktirdiği maaşını ödememek için onu yetkililere şikâyet etmişti.

Juan bir balık gibi ağa düşürülüşünü hatırlıyordu; üçü sivil giyimli, biri tanımadığı bir üniformalı, dört adam, bara girmiş ve onu görünce üzerine çullanmışlardı. Juan ne olup bittiğinin hemen farkına varmış, masaların arasından atlayarak kaçmaya çalışmıştı. Bir müşteri ona çelme takmış, Juan yüzüstü yere çakılmıştı. Üniformalı adam onun ensesine yapışmıştı. Juan kollarıyla başını korumaya çalışmış ama onların kafasını yarmasına, kaburgasını kırmasına, dirseğini un ufak etmelerine engel olamamıştı.

Ellerini kelepçelemiş, ayaklarını bağlamış, ağzını tıkamış ve onu arabanın bagajına atmışlardı. Böylece onu -saatler süren bir yolculuktan sonra- bilmediği bir köye götürmüşlerdi. Orada onu üniformalı adamlara teslim etmişlerdi. Ayaklarındaki ipleri ve ağzındaki bezi çıkararak onu bir kamyonete bindirmişlerdi; elleri hâlâ kelepçeliydi. Onu San Francisco'daki bir binaya götürmüşlerdi.

Cam duvarları olan bir ofiste, bir tercüman, ona ülkede kaçak bulunduğu, polise karşı geldiği, otoriteye hakaret ettiği ve hırsızlık yaptığı için tutukladığını anlatmıştı. Amerika'ya bir daha asla dönmeyeceğini belirten kâğıtları imzalarsa savcının davayı geri çekeceğini söylemişti. Juan kâğıdı imzaladı. Parmak izlerini, kişisel bilgilerini ve üç fotoğrafını aldılar. Beş gün içinde başka bir kamyonetle onu Tijuana'ya gönderdiler.

Tijuana'daki çiftçiler, ona, aniden sınır dışı edilmesinin onları hor gören patronların muhbirliği sonucunda gerçekleştiğini ve bunun sık rastlanan bir şey olduğunu anlattılar. Bu gibi durumlarda patronlar, yalandan hırsızlık duyurusunda bulunurdu. Düşürüldüğü tuzağın farkına varıp öfkelenen Juan, Portland'a geri dönüp kadından parasını almaya ve kaldığı pansiyondaki eşyalarını toplamaya karar verdi.

Bir tır kamyonunun içine saklanıp yeniden Amerika'ya geçti. San Diego'da yankesicilik yaparak ve zil zurna sarhoş bir şekilde kaldırımda yatan Portekizli bir denizcinin saatini çalarak para kazandı. Elde ettiği bu parayla Greyhound'dan Sacramento'ya kadar seyahat etti.

Portland'da önceden sahip olduğu her şeyi, hatta biriktirip pantolonunun arasına diktiği sekiz yüz doları da geri alabildi. Yaşlı, zenci bir adam olan ve bütün iyi hatıraları B.B. King'in grubunda bas çaldığı dönemlere ait olan ayyaş pansiyon işletmecisi, bütün sevecenliğiyle, ona eşyalarını geri vermişti.

Juan, şehre vardığı akşam, Susan Blackwell'in bardan çıkmasını bekledi. Kadın, dükkânı kapatıp, günün kazancını toparladıktan sonra, normalde, binayı sabahın dördünde terk ediyordu. O gün de aynı saatte çıktı. Juan onun kafasına bir sopa indirdiğinde kadın arabasına binmek üzereydi; bu darbenin gerisi de gelmişti.

Şişman kadın kaldırıma yığıldı; yeşil saçları kan içinde kalmıştı. Onun öldüğünü düşünen Juan, kadının çantasını aldı ve telaşa kapılıp şehrin caddelerinde koşmaya başladı.

Meksika'ya döndüğünde korku içindeydi; gösterdiği şiddetten pişman olmuştu. Yolda, bir otobüs terminalinde, bir tabanca satın aldı. Bu, çift namlulu, 25 kalibrelik bir Derringer Davis'ti. Ona elli dolar ödemişti. Kendisini yakalamaya kalkışacak olan polislere karşı kullanmak üzere silahı şapkasının altına sıkıca yerleştirdi. Buna gerek kalmamıştı; pek çok araç değiştirerek Eagle Pass'le Piedras Negras sınırına kadar sorun yaşamadan geldi ve orada traktör taşıyan bir tekneye binip nehri geçti.

Loma Grande'ye, oradan ayrıldıktan bir sene sonra döndü. Bir gün bir Amerikan polisinin gelip kendisini tutuklayacağından korktuğundan orada uzun süre kalmadı. Ánimas Gölü'nün yakınlarına bir kulübe inşa etti ve Lucio ile Pedro Estrada'nın balıkçı tekneleriyle ilgilendi.

4

Kamyonetini benzin pompasının tam önüne park etti ve benzin deposunun anahtarını görevliye verdi.

- Kırk binlik Nova koy, dedi. Kamyonetten inip benzincinin köşesindeki büfeye yöneldi. Bir şişe Modelo birası aldı ve onu içmek için buzluğun üzerine oturdu. Yorulmuştu. Öğlen sıcağının altında, kamyonlarla dolu yolda Aztecas'a gitmek onu fazlasıyla bunaltmıştı. Biranın köpüğünü boğazına dolduruyor, tadını çıkararak içiyordu. Görevli, depoyu doldurduğunu işaret etti. Çingene içkiyi bitirdi, parasını ödedi ve kamyonete geri döndü.

Duş almak ve öğle uykusuna yatmak istiyordu. Orada bildiği ve ara sıra kaldığı bir misafirhane vardı; Albatros Pansiyonu. Otuz beş bin peso ödeyerek büyük yataklı, vantilatörlü, kendi tuvaleti olan bir oda tutabilirdi; üstelik bu fiyata kahvaltı ve akşam yemeği de dâhildi. Orayı, sürekli gülen ve hayat dolu olan yetişkin kızı Margarita ile sempatik, neşeli bir kadın olan Chata Fernández işletirdi. Çingene'nin Albatros'ta kalmaktan hoşlanmasının sebebi sadece iyi hizmet görmesi değil, aynı zamanda iki kadının da konuşkan olması ve müşterilerinin hayatlarını iyi bilmeleriydi. Onlar aracılığıyla Loma Grande'de sıra dışı bir şey, pazar günü olanlarla ilgili bir gelişme olup olmadığını öğrenebileceğini düşündü.

Pansiyon, tek katlı, ortak bir salona açılan altı odalı büyük bir evdi. Yemek odası ve mutfak bitişikteki ayrı bir binadaydı. Bu tasarım, Chata Fernández'e ve İspanyol bir turizm işletmecisiyle evlenip işi bırakan eski ortağı Silvia Espinosa'ya aitti. Çingene, Chata'yla olan arkadaşlığı sayesinde istediği odayı; kuzeyde yer alan ve serin olan ortadakini seçebilirdi.

Çıldırtıcı sıcağa rağmen Çingene sıcak suyla duş aldı.

'Çivi çiviyi söker,' diye düşündü.

Beline bir havlu dolayıp banyodan çıktı. Camı açıp sinekliği kaldırdı. Perdenin dibinde çalışma masasının altına saklanmaya çalışan bir hamam böceği gördü. Çingene çıplak ayağıyla onu ezdi. Hamamböceği ayağının altında ezildi. Çingene yatağın ucuna oturup ayağını temizledi. Havluyu çıkardı, ıslak saçıyla yatağı ıslatmamak için havluyu yastığın üzerine koydu, yatağa uzandı ve uyuyakaldı.

Uyanıp saate baktı: Yediyi kırk geçiyordu. Pansiyonda akşam yemeği, saat yedi buçukta verilirdi. Hızla giyindi. Margarita ona gecenin mönüsünü vermişti; karides çorbası, Meksika usulü pilav, domates soslu dil balığı vardı ve bu yemeği kaçırmak istemiyordu.

Yemek salonuna girdiğinde konukların çoğu masalardaki yerlerini çoktan almıştı. Birkaçını tanıyordu; bölgenin sulama sistemini denetleyen su bilimci Carlos Gutiérrez; Abra'dan Los Aztecas'a kadar uzanan asfalt yolun yapımıyla ilgilenen inşaat mühendisi Felipe Fierro ve pamuk işiyle uğraşabilmek için emekli olan bir dişçi Javier Belmont. Masadaki diğer insanlar; ufak tefek, yorgun görünümlü ve daha önce hiç görmediği yaşlı bir çiftti.

Yemek bitince masada sadece Margarita, Chata, Felipe Fierro ve Çingene kaldı. Çingene, kaygıyla Chata'ya yeni bir haber olup olmadığını sordu. Kadın masa örtüsünün üzerine dirseklerini koydu ve -ara sıra mutfakta bulaşık yıkayan kızının da müdahalesiyle- en önemli haberleri vermeye başladı: Nuevo Morales'te başka bir marihuana tarlası daha bulunmuştu, petrol şirketi sendikasına ait pirinç tarlaları bir milletvekiline satılmıştı, Ayala Projesi'ndeki toprak sahiplerinden biri *Pepsi-Cola* kapaklarındaki promosyonla on milyon peso kazanmıştı, Gonzáles'te turistlere saldırılmıştı, Devlet Başkanı, Niños Héroes'teki bir köylünün kendisine yazdığı mektubu cevaplamıştı, Paloma Çiftliği'ndeki hayvanlarda bağırsak kurdu çıkmıştı. Kadının anlattığı hiçbir şeyin asıl ilgilendiği konuyu içermediğini gören Çingene, "Peki ya Loma Grande? Orayla ilgili bir şey biliyor musunuz?" diye sordu.

Chata, birkaç saniye düşünüp bilgilerini gözden geçirdi ve dudak büküp başını salladı.

- Hatırladığım kadarıyla hayır.

Margarita, bir tabağı kurulayarak mutfaktan çıktı ve kapıya yaslandı.

- Loma Grande'de, dedi kelimeleri uzatarak, pazar günü bir kızı öldürdüler.

Çingene ciğerlerinde bir delik açılmış gibi hissetti. Gerginliğini belli etmemeye çalışarak, sakin bir ses tonuyla "Nereden biliyorsun?" diye sordu.

- Kerevit almaya pazara gittiğim zaman Dulcineo Sosa anlattı.

Çingene, Margarita'nın kendisine bir isim vereceği umuduyla, "Peki, öldürülen kızın adını söylediler mi?" diye sordu.

- Evet ama unuttum.

Çingene yutkundu.

- Gabriela?

Genç kız birkaç saniye düşündükten sonra onaylayarak cevap verdi:

- Doğru, dedi, bana adının bu olduğunu söylemişlerdi.

Çingene'nin benzinin attığını gören Chata "Tanıdığın biri miydi?" diye sordu.

Çingene hafifçe başını salladı.

Bir ter damlası ensesinden süzülüp sırtına kayarken "Görmüşlüğüm vardı... Benden ıvır zıvır alan birinin karısıydı," diye cevapladı.

5

Juan Prieto, yoldan gelen sesleri dinleyip alarma geçti. Rıhtımdaki yabancıların varlığı sinirini bozuyordu; sürekli kendisini tutuklamaya gelecek olan polisleri düşünüyordu. Ramón ve Torcuato'nun sesini duyunca saklandığı ağacın arkasından çıktı.

- Selam, dedi.

Her biri farklı sözcükler mırıldanarak ona karşılık verdi. Korkan bir yaban ördeği, kıyıdaki bitkilerin arasına daldıktan sonra hareketsiz suyun üzerinde bir iz bırakarak birkaç metre ileride durdu. Güneş ışınları teknelerin çevresine saçılmış balıkların pulları üzerinde parıldıyordu.

Juan uzun bir ağı işaret etti.

- Bana yardım eder misiniz? diye sordu, ağı yaymam gerekiyor.

Birkaç sopayla ağı toparladılar; yaklaşık yüz metreydi. Üzerinde Juan'ın çuval bezi ipliğiyle dikmesi gereken sayısız yırtık ve delik vardı; bu, bütün sabahını alacak bir işti.

Ağı bağladıktan sonra kayalara doğru yürüdüler. Kayalardan birinin üzerinde ters dönmüş, ayaklarını kabuğunun içine sokmuş bir kaplumbağa vardı. Macedonio Macedo, kayaya oturmak için hayvanı tekmelemeye yeltendi ama Juan onu durdurdu:

- Yapma, kabuğunu saklayabilmek için onu kurutuyorum.

Macedonio itiraz etti:

- Bok gibi kokuyor.

Torcuato kabuğu alıp inceledi.

- İşe yaramaz, dedi, kırılmış.

- O zaman at gitsin, dedi Juan.

- Bir dahaki sefere üzerine tuz ya da kül dök, diye önerdi Pascual, böylece ne kötü kokar ne de kurtlanır.

- Ya da etini çıkar, diye ekledi Torcuato.

Beşi de taşların üzerine oturdu. Juan geçen ay tuttukları *tilapia* balıklarının çokluğundan bahsetti. Macedonio, elinde bulunup bulunmadığını kahvaltı için ızgara yapıp yapamayacaklarını sordu.

- Yok, diye cevapladı Juan, ama şimdi çıkartırım.

Ayağa kalktı, gömleğini çıkardı ve Ramón'dan kendisine eşlik etmesini istedi.

- Biz de o sırada ateş yakarız, dedi Torcuato.

Juan ve Ramón gölün kıyısına kadar yürüdüler. Ayakkabılarını çıkarıp ıslanmaması için pantolonlarının paçalarını kıvırdılar. Juan balık ağı, Ramón ise ahşap bir kova aldı. Suya girdiler. Düzinelerce kurbağa etrafa çamur saçarak sıçradı.

Juan ağı attı, kurşunların dibe batmasını bekledikten sonra ağı çekti. İçinde hiçbir şey yoktu.

- Şanssızlık, dedi ve ağı yeniden attı. Bir pelikan havalanıp birkaç metre ileride suya daldı.

- Çipuralar orada olur, haydi oraya gidelim, diye önerdi Juan. Su dizlerinin hizasına gelinceye kadar ilerlediler.

- İşte burada birkaç tane yakalayabiliriz.

İkisi de sustu. Juan sonuç elde edemeden avlanmaya devam etti.

- Daha derine gitmek gerek, diye önerdi Ramón. Yirmi adım attılar; bellerine kadar ıslanmışlardı. Juan ağı atar atmaz ağırlaştığını hissetti.

- Şimdi oldu, dedi. Ağı kaldırdı; üç tane tilapias çırpınıp duruyordu.

Hayvanı ağdan kurtarmak için solungaçlarına bir çakı saplarken "Sevgiline olanları biliyorum," diye mırıldandı Juan, "korkunç bir şey."

Ramón yalanını sürdürmeyi utanç verici buldu. Adela'yla olan ilişkisinin kızın öldürüldüğü gün başladığını itiraf etmeliydi. Yapmadı; gizli mektuplarla kendisine olan aşkını itiraf eden bir kadına ihanet edemedi. Ayrıca kollarında tuttuğu çıplak ve ılık bir bedene, bir kızın profilden çekilmiş siyah beyaz fotoğrafına, onu içten içe kemiren bir yokluğa da ihanet edemedi. Juan'a gerçeği söylemek başka bir adamı öldürmek için verdiği sözden de dönmek anlamına geliyordu; bu son çıkış noktasıydı ama onu kapamaya karar verdi.

- Evet, berbat bir şey oldu, diye vurguladı.

Juan balıklardan birini ağdan kurtarıp Ramón'un taşıdığı kovaya attı.

- Pedro bana onu temizlemeyi düşündüğünü söyledi.

- Bunun için tabancana ihtiyacım var.

Juan bir balığı daha ağdan kurtarıp kovaya attı. Silahını vermek istemiyordu. Hele onun birini öldürmek için kullanacağını bildiğinden bunu yapmayı hiç istemiyordu ama

Ramón onun çocukluk arkadaşı olduğu için bu teklifi geri çeviremedi.

- Tamam dostum, buradaki işimiz bitince onu sana veririm, dedi adamın yüzüne bile bakmadan.

Yedi balık daha tuttular. Gölden çıktıklarında, Torcuato'yu diz çökmüş, nemli kütüklerle ateş yakmaya çalışırken buldular. Yanında duran Macedonio ateşi canlandırmak için kütüklere üfleyip duruyordu. Juan, kendileri kulübeye gidip silahı alırken balıkları temizlesin diye onları Pascual'a verdi.

Odaya girdiler ve Juan içi mısır dolu bir çuvalın durduğu köşeye doğru ilerledi. Çuvalın içine eline sokup mısır tanelerini karıştırdı ve sonunda Derringer'i buldu. Tozu ve kabukları temizlemek için silahın kabzasına doğru üfledi. Odanın ortasına doğru yürüyüp bir kirişe sakladığı dört mermiyi çıkardı.

- Bunlar sahip olduğum tek mermiler, dedi. Silahın içine iki mermi koyup onu Ramón'a verdi.

- Hazır, dedi ve tetiği göstererek, emniyeti yok, sadece nişan alıp ateş ediyorsun, dedi.

Avucunun içinde tuttuğu silah Ramón'a oyuncak gibi göründü. Altın renkli küçük mermiler de birer oyuncak gibiydi.

- Bununla bir adam öldürülebilir mi? diye şüpheyle sordu.

- Eğer tetiği iyi çekersen evet... Yoksa hayır...

Ramón belirsiz bir yere doğru nişan aldı.

- Dikkat et, dedi Juan, ateş etmeyesin.

Ramón silahı indirdi. Onu tekrar doğrultup yavaşça Juan'a doğru çevirdi. Onun göğsüne nişan aldı ve tetiği çekti.

'Klik' sesini duyan Juan "O kadar da kolay değil," dedi.

- Ne?

- Birini haklamak.

Ramón omuz silkti.

- En kötüsü de, diye devam etti Juan, sonra ölüyü kafandan nasıl atacağını bilememek... Sopayla kafasına vurup kanlar içinde yerde bıraktığı şişman kadını anımsayarak derin bir iç çekti.

Ramón hiçbir şey söylemeden silahı indirdi.

- Seni neyin içine attıklarını biliyor musun? diye sordu Juan.

- Hayır, dedi Ramón keyifsizce ve Derringer Davis ile yirmi beş kalibrelik mermileri pantolonunun sağ cebine koydu.

6

Ter içinde, kâbuslardan boğulmuş bir şekilde uyandı; parçalara ayrılmış Gabriela, kurtlarla kaplı Gabriela, uzaktaki Gabriela, ölü Gabriela, sonsuza kadar yitirdiği Gabriela...

Ayaklarıyla çarşafı iteledikten sonra şifonyerin üzerindeki masa lambasını yaktı. Sarı ışıktan rahatsız olan gözlerini kırpıştırdı. Doğruldu ve camdan aysız geceye baktı. Sinek avlayan yarasaların, sineklığin yanından gelen, tiz seslerini dinledi.

Sigara içmek istedi. Bavulunu alıp yatağın üzerine koydu. Bir paket sigara bulma arzusuyla açtı. Bulamayacağını bilmesine rağmen bavulun içini karıştırdı; on aydır sigara içmiyordu.

Çingene, çantayı kapadı, pantolonunu ve gömleğini giydi, sinekliği çıkarıp bahçeye atladı. Çıplak ayaklarının altındaki çimler onu gıdıklıyor, ayaklarını kaşındırıyordu. Yarı karanlığın içinde odaların çevresini dolaşan ve caddeye açılan taşlı patikayı gördü. Bir çitle karşılaşıncaya kadar patikayı izledi. Bir kara kurbağası sıçradı. Topuğuyla onu itekledi ve kurbağa saksıların arasına dalarak yoluna devam etti.

Gürültü yapmamaya özen göstererek kapının sürgüsünü açtı. Dışarı çıktı ve kendisine sigara verecek birini bulma umuduyla ışık gördüğü yere doğru yola koyuldu. Oraya vardığında çevrede kimseyi bulamadı. Meydana yöneldi; bomboştu. Bir banka oturup sokak lambalarının çevresinde dolanan güveleri izledi. Belediye başkanı yakında bölgedeki bütün köylerde elektrik olacağını söylemişti. Buna inanmadı; ne politikacılara ne de kadınlara inanırdı. Kendisini sevdiğini ve her şeyi onun için bırakmaya hazır olduğunu söylediği zaman Gabriela Bautista'ya da inanmamıştı. O ana kadar inanmamıştı.

Meydanda aylak aylak dolanmaya başladı. Gecenin sessizliğini bozan jeneratörün sesinden rahatsız oldu. Sessizliği, onun içinde Gabriela'yı düşünmeyi ve anımsamayı istiyordu. Kamyoneti çamurlu bir kıyıya çekip aracın içinde seviştikleri ağustos sabahını hatırladı. Yeşilliğin üzerindeki gri ufku, tenteye düşen yağmur damlalarını anımsadı. Bakışlarını, derin gözlerini, şehvetli tenini, onu saran bacaklarını, ıslaklığını hatırladı. Onunla geçirdiği son geceyi; onları rahatsız eden ışığı, çalıların arasında koşuşturmalarını, gözler önüne serilen mahremiyetini, açığa çıkan sırrını, son aşkını anımsadı. Ölü Gabriela'yı gözünün önüne getirdi ve sonra kendini de ateşe atabilmek için, Loma Grande'yi yakma isteği duydu.

Akbalıkçıl kuşları pirinç tarlalarının üzerinde sabah uçuşuna başladığında geri döndü. Hava aydınlanıyordu. Camdan içeri; odaya girdi. Çırılçıplak soyundu; o saatlerde sıcağı daha da dayanılmaz buluyordu. Yatağa kıvrıldı ve yanında dönen vantilatörün pervanesine gözlerini dikip sırtüstü uzandı.

Günün ilerleyen saatlerinde odadan çıktı. Yıkanmış ve tuhaf bir yorgunlukla ağır ağır giyinmişti. Yemek odasında sadece tanımadığı o yaşlı çift vardı. Onları selamlayıp dokuz sandalyeden hangisine oturacağını bilemeden ayakta kalakaldı. Chata elinde dumanı tüten bir tencereyle mutfaktan çıktı ve tencereyi masanın üzerine koydu.

- İyi günler...

- İyi günler...

- Çarşaflarla mı dövüştün?

- Öyle bir şey.

- Barbunya ister misin?

- Evet, diye cevapladı Çingene ve isteksizce önünde duran sandalyeye oturdu.

Chata ona yemek koydu. Çingene'yi hiç böylesine bitap görmemişti.

Yaşlılar kahvaltılarını bitirip oradan ayrıldı. Çingene ağır hareketlerle önünde duran barbunyayı yemeğe başladı.

- Yeter artık, daha fazla acı çekme, dedi Chata gülümseyerek.

Çingene kadına baktı; kadının takındığı alaycı tavır dikkatini dağıtmıştı.

- Ne acısı? diye sinirli bir şekilde sordu.

Chata tekrar gülümsedi, ekmek içlerini topak hâline getirdi ve onu mutfağın kapısının önünde ölü bir cırcırböceğiyle oynayan kediye attı.

- Senin öldüğünü sandığın kişiyi öldürmediler, dedi ekmeği silip süpüren kediye bakarken ve ekledi, Margarita isimleri karıştırdı.

Chata'nın bu sözleri Çingene'nin aklını karıştırdı; kadının ciddi olup olmadığından emin değildi.

- Loma Grande'de bıçakladıkları kızın adı Adela'ydı, Gabriela değil.

- Nereden biliyorsun?

- Gezici vaizler söyledi. 'Yeniler'den biriydi; pazar gecesi onu gömmüşler.

- Başka ne biliyorsun?

- Hiç, vaizler o günden sonra Loma Grande'ye tekrar gitmemiş, dolayısıyla neler olduğunu bilmiyorlar.

Çingene rahat bir nefes aldı. Chata, aralarında sadece birkaç santimetre kalıncaya kadar iskemlesini onunkine doğru yaklaştırdı.

- Beni iyi dinle, dedi, Gabriela'yı öldürmelerini gerçekten istemiyorsan onu rahat bırak.

- Neden bahsediyorsun?

Chata arkasına yaslandı.

- İşe yaramazın biri olmaktan hoşlandığından bahsediyorum. Ölünün adının Gabriela olabileceğini nereden çıkardın ki?

Çingene gülümsedi.

- Bu Gabriela denen kadın için çıldırıyor olduğun bir mil uzaktan bile anlaşılıyor. Evli bir kadının seni ya geçmişe ya da hırsızlığa götüreceğini unutma...

Çingene kahvaltısını bitirip kalktı.

- Teşekkürler, dedi.

- Ne için? diye sordu Chata.

- Barbunya için, çok lezzetliydi...

Yatağa uzanan Çingene, Gabriela'nın öldüğünü düşündüğü zaman böylesi sarsılıp acı çekmesinin tek bir anlama geldiğini anladı: Onu seviyordu ve artık onu kaçırmalıydı. Bunun geri dönüşü yoktu; ertesi gün Loma Grande'ye onun için gidecekti.

Gözlerini kapadı ve bir önceki gece uyuyamadığı saatlerin acısını çıkararak uyumaya çalıştı.

XIV

ONU ÖLDÜRMENİN EN İYİ YOLU

1

Beş adım uzaklaştı, silahı çıkardı ve kolunu Frenk incirine doğru uzattı. Sol gözünü sımsıkı kapadı ve sağ gözüyle nişan almaya çalıştı. Nabzına hâkim olabilmek için nefesini tuttu ama Derringer Davis'in yana kaymasına engel olamadı. Kabzayı sıkıca kavradı ve bitkiye nişan aldığını düşündüğü an ateş etti. Düzgün ateş edip etmediğini görebilmek için gözlerini açtı. Torcuato onaylamadığını belirtircesine başını iki yana salladı.

Kollarını çapraz birleştirip "Başarısız oldun," diye bildirdi.

Juan Prieto bitkiye yanaştı ve üzerinde delik açılıp açılmadığına baktı. Hiçbir şey yoktu, kurşun sıyırmamıştı bile. Ramón elini gevşetip silahı indirdi.

- Çok yukarıda tuttun, dedi Pascual, nasıl toz kaldırdığını gördüm.

Doğru düzgün ateş etmek Ramón'un zannettiği kadar kolay değildi. Derringer Davis fazla küçük ve hafifti, ayrıca elde tutumu da rahat değildi. Çift namluya hâkim olmak neredeyse imkânsızdı.

- Silahı başa yakın tutmak zorundasın, dedi Macedonio, çünkü böyle ateş ettiğin sürece hiçbir boka yaramayacak.

Torcuato karşı çıktı:

- Tabii, ne demezsin... Çingene de Ramón'un kendisine yaklaşmasına izin verirdi zaten... Hayır bayım, asıl yapması gereken uzaktan ateş etmeyi öğrenmek... dedi. Ramón'dan silahı istedi, onu açtı, boş mermiyi içine yerleştirdi, silahın ağzında kalan yanık barutu üfledi, dipçiği tükürükledi ve yeniden doldurdu.

- İyi izle, dedi Ramón'a, işin sırrı dirseği oynatmamak.

Torcuato bacaklarını namlu hizasında çapraz açıp durdu. Düz bir açı oluşturarak kolunu öne uzattı. Derin bir nefes aldı, silahı doğrulttu ve yavaşça tetiği çekti. Silahın sesi duvarda yankılandı. Torcuato merminin gittiği yeri iyice görebilmek için başını kaldırdı.

- Alakası bile yok, dedi Juan, Ramón'dan bile yukarı ateş ettin.

Torcuato ona meydan okurcasına çenesini kaldırdı ve "İyi görmedin herhâlde," dedi.

Bitkiye doğru yürüdü, merminin izini arayarak defalarca sağa sola bakındı. Sonunda yanıldığını fark etti ama bunu kabul etmeden önce "Bu lanet tabancanın namlusu eğri," dedi.

Eğri ya da değil, Ramón, Çingene'yi Derringer Davis'le öldürmenin ne kadar zor olacağını anladı. Yakından, çok yakından ateş etmek gerekiyordu; tercihen yüzüne ya da gözlerinin arasına nişan almak lazımdı. "Kendilerine yaklaşmasına izin veren yaban domuzları gibi," dedi Macedonio.

Ramón kendi tabiatını pek iyi tanımıyor, onu öldüreceği zaman sinirlerini Çingene'ye yaklaşacak ve beynine bir silah dayayacak kadar yatıştırıp yatıştıramayacağını bilmiyordu.

Öğlen üçte, Loma Grande sakinlerinin çoğu Ramón Castaños'un, rakibini, Juan Prieto'dan aldığı silahla öldürmeyi düşündüğünü biliyordu. Juan'ın gerçek hikâyesini bilmeyenler "Bu, Teksas'ta bir polisi öldürdüğü silah," diyorlardı. Bu tabancayı sabit tutmanın imkânsız olduğu dedikodusu da yayılıyordu. Bu yüzden köy halkından bazıları Derringer Davis kullanmanın avantaj ve dezavantajlarını tartışmak üzere dükkânda toplanmıştı. Her kafadan bir ses çıkıyordu:

- Bence bu küçük tabanca harika, dedi Ethiel Cervera, Çingene, Ramón'un elinde bir tabanca olduğunu bile anlamayacak.

- Evet ama mermiler de küçük, diyerek araya girdi Amador, eğer Ramón silahı onun başına dayamazsa Çingene'ye hiçbir şey olmaz.

- Doğru, mermiler tavşan avı için yapılmış gibi, diye onayladı Lucio.

- Yok be adam, eğer ben daha küçük; 22 kalibrelik mermilerle geyik avlayabiliyorsam bunlarla bir kaplan öldürürüm, dedi Pérez'lerin en küçüğü Sirenio, kendinden emin bir şekilde.

- Külliyen yalan, diye alay etti Lucio, hayatında kaç kez geyik avladın ki?

Sirenio tartışmaya devam edecekti ama Torcuato araya girdi:

- Yapman gereken, dedi Ramón'a, o seni görmeden onu öldürmek.

- Sırtından mı vuracak? diye sordu Macedonio, olmaz, bu erkekliğe sığmaz.

- Çingene kızı sırtından bıçaklarken tam bir erkek gibi davrandı, öyle değil mi? diye dalga geçti Torcuato.

- O da doğru, dedi Macedonio ve Ramón'la konuşmaya devam etti, evet, onu sırtından vur.

- Peki, o sevimsiz Çingene sürekli duvarlara yapışıp yürürken bunu nasıl yapacak? diye sordu Amador.

- Doğru, o piç dikkati elden bırakmıyor, diye onayladı Pedro Estrada.

Marcelino geldiğinde adamlar tamamen tartışmaya dalmıştı. İçlerinden birisi öfkeli bakışlarını fark etseydi onun tartışmaya son vermek istediğini anlardı.

- Dedikoduyu bırakın, dedi daha fazla dayanmayarak, lanet Çingene bir daha asla dönmeyecek.

Diğerleri sustu. Hiçbiri bu intikamın alınmayacağı ihtimali üzerinde durmamıştı; herkes Çingene'nin Loma Grande'ye önümüzdeki ay başında geleceğini düşünmüştü.

- Dönecek kadar aptal değildir, diye devam etti Marcelino, ne o, yoksa kızın mezarına çiçek bırakmaya geleceğini mi düşünüyordunuz?

Justino Téllez, oturduğu iskemleden kalkmadan, elindeki birayı bırakmadan lafa girdi:

- Dönecek, bundan şüpheniz olmasın.

Marcelino ona döndü, yüzünü buruşturup alaycı bir şekilde gülümsedi.

- Sen ne diyorsun, Carmelo Lozano'ya her şeyi yumurtlamadın mı? Sabah seni görmeye, evine geldiğini fark etmeyeceğimizi mi zannettin?

Justino birasından bir yudum aldı, ellerini ensesinde birleştirdi ve onun sözlerine hiç bozulmadan cevapladı:

- Yumurtlayan anandır, piç... Carmelo'ya ne söylediğimi bilmediğine göre çeneni kapasan daha iyi olur.

Onları evinin duvarından dinleyen dul Castaños, büyük bir tartışma çıkacağını düşünerek dükkâna gitti. İnsanların yanından geçip herkese iyi günler diledikten sonra Lucio Estrada'ya Evelia'nın, Pedro'ya da Rosa'nın sağlık durumlarını sordu ve tezgâhın yanında bir banka oturdu.

Dul kadının çevirdiği oyun işe yaramıştı; herkes sakinleşmişti. Muhabbet devam etti. Önce farklı konular konuşulduktan sonra muhabbet yavaş yavaş yeniden Derringer Davis'e kaydı.

Tartışma uzun bir süre daha sonuçsuz devam etti. Saat beş olduğunda grup oldukça kalabalıklaşmıştı. Yeni gelenler hemen, iki taraftan birine katılıyor, Derringer Davis'in artılarını ve eksilerini belirtiyorlardı. Polemik, namlu uzunluğu, atış gücü, rüzgâr hızının mermi ağırlığına etkisi, kısa mesafeden ateş etme gibi konularla saçma bir hâl alsa da konunun özü hiçbir zaman değişmiyordu; biri öldürülecekti ve onun öldürmenin en iyi yolunu arıyorlardı.

Jacinto Cruz bunu anlamış ve sanki orada ikisinden başka hiç kimse yokmuş gibi Ramón'a "Dinle bak, bizi bu tantanadan kurtaracağım ve sana Çingene'den kurtulman için en iyi yolun hangisi olduğunu söyleyeceğim," dedi.

Jacinto'nun bu sert çıkışı diğerlerini susturdu. Derringer Davis ikinci plana atıldı ve herkes Jacinto'nun Ramón'a yapacağı öneriyi dinlemek için kulak kabarttı. Ama Jacinto bunu açıklamak yerine "Anlatsam anlamazsın, onu nasıl öldüreceğini sana göstermem lazım," diyerek ondan kendisine eşlik etmesini istedi.

Pascual, Torcuato ve Macedonio da onlara eşlik etti. Şaşkına dönen diğerleri, sanki Jacinto'nun Ramón'a göstereceklerine tanıklık etmek için meraktan ölenler onlar değilmiş gibi, adamların uzaklaşmasını izleyip yeniden çift namlulu, 25 kalibre, on santimetre uzunluğunda olan Derringer Davis'in etkileri ve nitelikleri üzerine tartışmaya döndü.

2

Çingene, yorucu öğle uykusundan bir önseziyle uyandı: Gabriela o gece öldürülebilirdi. Bu düşünceyi saçma bulup aklından atmaya çalıştı ama yapamadı. Beklenmedik şeyler doğurabilecek cevapsız sorular vardı. Özellikle de Pedro

Salgado'nun Gabriela ile yaşadığı aşkı biliyor olma ihtimali onu yiyip bitiriyordu. Bir de öldürülen kızı merak etti. Kimdi ki? Neden bıçaklanmıştı? Birden kızı yanlışlıkla öldürdüklerini ve asıl hedefin Gabriela olduğunu düşündü. Gabriela, Gabriela... 'Gabriela' adı canını yakıyordu. Neden onu bu kadar çok düşünüyordu? Neden diğerlerine yaptığı gibi onu da cehennemin dibine gönderemiyordu? Evli kadınlarla oynamaktan, onları bıçağın ucuna göndermekten ve onlar tam da kendisiyle kaçmaya hazır olduklarında onları terk etmekten her zaman hoşlanmıştı. Gabricla'ya neden böyle davranamıyordu?

Mümkün olan en kısa zamanda onun için dönmeliydi; rüyalarında onu kurtlanmış görür ve kadını delicesine arzularken ondan uzakta bir gece daha geçirmeye dayanamıyordu. Yine de acele etmemeye çalıştı. Loma Grande'ye bu gece gitmeye değmezdi; kocasıyla karşılaşacağı kesindi ve bu karşılaşma şiddetle sonuçlanabilirdi. Köye ertesi sabah, Pedro Salgado diğer pamuk işçileriyle yola koyulduktan sonra gitmek daha mantıklıydı.

Önce, Loma Grande'deki Adela cinayetinin ayrıntılarını öğrenmeliydi. Köye tedbir almadan gidemezdi. Carmelo Lozano'nun bir şeyler biliyor olacağını varsayarak Mante Şehri'ndeki polis merkezine gitmeye karar verdi.

Albatros Pansiyonu'ndan öğlen ayrıldı. Ne Chata Fernandez'i ne de kızını bulabildi; bu yüzden onlara borçlu olduğu parayı bir zarfa koyup zarfı kadının odasının kapısının altından içeri attı. Daha çok telgrafı andıran bir de not ekledi:

Chata,

Sen haklıydın. Evli kadın; çalıntı kadın.

Selamlar,

José Echeverri- Berriozabal.

3

Önce levazımatçının küçük bir yemlik ve birkaç sicim aldığı Jacinto'nun evine gittiler.

- Elindeki ne? diye sordu Macedonio.

- Sürpriz, diye cevapladı Jacinto, bir yandan da yemliği omzuna atmış, gördüğü herkese bir ip veriyordu.

Bernal Dağı'nın güney ucunu saran küçük çayırlığa doğru yürüdüler. Oraya vardıklarında Jacinto, onlardan alnı beyaz, kuyruğunun yarısı olmayan kırmızı bir boğa bulmasına yardım etmelerini istedi. Pascual onu uzakta, bir mesquite ağacının altında, çalılığın sık olduğu bir alanda gördü.

Jacinto onun dağlarda yetişmiş, kırlarda başıboş dolanan bir boğa olduğunu söylüyordu.

- Oldukça cesurdur, dedi onlara, fazlasıyla güçlü.

Böylece beşi birden onun çevresini sarmak için harekete geçti. Korkup kaçmaması için ona sessizce yaklaştılar. Amberağaçlarının arasına saklanan Jacinto ona oldukça yaklaşmayı başardı. Eğildi ve ona kement atmaya çalıştı. İp, hayvanın sırtına çarpıp kayıp düştü. Rahatsız olan boğa meydan okurcasına boynuzlarını kaldırıp yokuş aşağı harekete geçti. Torcuato onun yolunu kesmeye kalktı; boğa ona saldırmak üzere başını öne uzatıp koşmaya başladı. Torcuato yana sıçradı ve hayvan yoluna devam etti.

- Yolunu kesin, diye bağırdı Jacinto, Ramón'a.

Ramón boğaya yetişmek üzere çapraz koştu ama hayvan hızını artırıp çalıların arasında kayboldu. Çalılardan ve dallardan çıkan sese rağmen hayvanın nereden çıkacağını kestirmek güçtü. Bölgeyi iyi tanıyan Jacinto, onun kuru çayın yamacına çıkacağını tahmin ederek Pascual'a o tarafa gitmesini söyledi.

Pascual çabucak o tarafa geçtikten sonra Frenk incirlerinin arkasına saklandı. Hayvanın boynuzlarının karşısında durduğunu hissedip gergince kemendi hazırladı. Boğa, çalıların arasından çıkıp çaya yöneldi. Pascual onu bekledi ve hayvanın geçtiğini görünce ayaklarından birine kemendi geçirdi. İpi fark eden boğa böğürüp yavaşladı. Pascual onu durdurmak için yere yattı. İpe dolanan boğa bir daire çizip adama doğru saldırıya geçti. Pascual dizlerinin üzerinde dönüp hayvanın saldırısından kurtuldu; hayvan bu ani hareketle yaprakların üzerinden çaya doğru kaydı. Hayvanın kaçmasına izin vermemeye kararlı olan Pascual onun boynuzlarını tuttu ve kendini sürüklemesine izin verdi.

Boğa düşerken bir taşa çarptı ve darbeyle tam bir tur attı. Pascual kemendin bir ucunu ağaca bağlamak istedi ama öfkelenen boğa kuru çayın taşları arasından çıkıp onu sürüklemeye başladı.

Torcuato, Jacinto ve Ramón boğayla Pascual'ın taşların arasında koşuşturmasını ve yokuş aşağı hızla inişini izledi. Ramón onlara yetişip boğanın boynuna bir kement atmayı başardı.

- Çek onu, diye bağırdı Torcuato.

Ramón ipi iyice gerince hayvan yavaşladı. Torcuato hayvanın yanına gidip onu kuyruğundan tuttu. Boğa, onu boynuzlamaya çalışarak döndü ama Torcuato onun kuyruğunu sıkıca tutup boğayla beraber döndü. Pascual doğruldu ve ipini bir kütüğe bağladı. Ramón da aynısını yaptı. Yorulan boğa sonunda direnmeyi bıraktı ve sakinleşti. Torcuato onun kuyruğunu bırakıp hayvandan mümkün olduğu kadar uzaklaştı. Jacinto ve Macedonio da geldi ve hep beraber ayaklarını bağlamak için hayvanı yere serdiler.

Hayvanı çekiştirirken, ipin sürtünmesi sonucunda avuç içlerinde oluşan yaralara tüküren Pascual, "Lanet boğa bir şeytana benziyordu," dedi.

Jacinto "Size inatçı olduğunu söylemiştim," diyerek güldü.

Onların birkaç metre ilerisinde yerde yatan boğa sessizce homurdandı ve ayağa kalkma çabasıyla başını öne uzattı.

- Onu avluya kadar sürükleyebileceğimizi düşünmüştüm, dedi Jacinto, ama onu burada da öldürebiliriz.

- Yok ya? Sonra da onu yükleneceğiz öyle mi? diye sordu Macedonio.

- Yok, be adam, onu parçalayıp sonra da eti almak için eşekle geleceğim, diye cevapladı Jacinto. Sırtındaki çuvalı bacaklarının üzerine koyup devam etti:

156

- Bak Ramón, işte şimdi sana Çingene'yi nasıl öldüreceğini göstereceğim.

Çantasından bir buz kıracağı ve çelik bir eğe çıkardı.

Ucunu dört beş kez törpüledikten sonra keskinliğini başparmağının tırnağında denedi.

- Hazır, dedi.

Boğanın yanına yürüdü. Kaburgalarının arasına dokundu ve eklem yerlerine yakın bir yere işaret parmağıyla hayalî bir daire çizdi.

- Kalbi burada, diye işaret etti.

Tehlikeyi sezen boğa böğürdü ve iç burkucu bir şekilde yeniden dereye doğru devrildi. Boynundaki uzun ve kalın bir damar şişti ve ürperen tüylerinin ardındaki bedeni hafifçe titredi.

Jacinto sağ elindeki buz kıracağını sallarken sol eliyle derisinin kıvrımlarını çekiştirdi.

- Böyle batırmak gerek, dedi ve dairesel bir hareketle elindeki aleti sapına kadar soktu. Boğa sessizce inledi ve gözleri yuvalarından fırladı. Jacinto buz kıracağını hayvanın içinde bir süre hareket ettirdikten sonra onu yavaşça çıkardı. Yaradan anında kan fışkırdı.

Bu infaz karşısında şaşkına dönen Ramón'un geri çekilecek vakti olmadı ve ayakkabılarının kan içinde kalışını izledi. Midesi bulandı; Adela'yı böyle kanarken düşündü.

- Tam kalbinde bir delik var, diye açıkladı Jacinto, yakında bütün kanı akar.

Gözlerindeki ışık sönerken boğa onlara kaygıyla baktı. Bu hareketsiz ve ölmek üzere olan hâliyle birkaç dakika önce onlarla dövüşen korkunç hayvandan oldukça farklıydı; evcil bir hayvana benziyordu.

Kan akışı arttı ve kalbinin her atışında, sonunda kesik kesik akmaya başlayıncaya kadar, hiç durmayacak gibi fışkırdı. Boğa burnundan bir kan pıhtısı çıkararak homurdandı. Boynundaki damarlar sonunda görünmez oluncaya kadar yayıldı. Kısa bir süre sonra başını ve arka bacaklarını uzatıp bütün ağırlıyla yere bıraktı.

Jacinto hayvanın can çekişini izledi ve yüzünü Ramón'a dönmeden "Anladın mı?" diye sordu.

Adela'yı da aynı şekilde ölürken düşünen Ramón, hiç düşünmeden, "Hayır," diye cevapladı.

- Bak, dedi Jacinto, eğer böyle büyük bir boğa bu kadar kolay devriliyorsa Çingene'yi ne kadar çabuk yere serebileceğini bir düşün.

Keçileri ve danaları yakalayıp kurban etmenin zorluğunu bilen Torcuato, bu gösteriyi muhteşem buldu. Artık ne keçilerin şah damarını aramak ne de danaların boyunlarını kırmaya uğraşmak zorundaydı; temiz ve kesin tek bir hamle yeterliydi.

Macedonio da hayranlığını dile getirdi.

Küçük ve ölümcül buz kıracağının intikam almak için en uygun alet olduğunu kabul ederek "Çingene neden öldüğünü bile anlamayacak," dedi.

Ramón yavaş yavaş Adela'yı unutup Jacinto'nun açıklamalarına yoğunlaştı.

- İşin sırrı, dedi levazımatçı, kemiğe çarptığında kaymaması için onu bütün gücünle saplayıp derine itmektir. Bunun için ucunu iyice törpülemelisin.

Jacinto, Ramón'un yanına geçip buz kıracağını gömleğinin kolundan içeri soktu.

Sol kolunu göstererek "Onu burada saklamalısın", dedi. "Böylece Çingene onu göremez, sonra, uygun bir an yakaladığında, aleti diğer elinle çıkarır ve koltukaltına saklarsın."

Buz kıracağını Ramón'a uzattı ve "Yap bakalım," dedi.

Ramón onu gömleğin içine saklayıp çıkardıktan sonra yapacağı saldırının gösterisini iki üç kez tekrarladı.

- Şimdi hayvanda dene, diye önerdi Pascual.

Ramón dönüp onun yanında duran devasa kütleye baktı.

- Niye ki? diye sordu.

- Elin alışsın diye, dedi Jacinto.

Boğayı boynuzlarından tutup kaldırarak bir abanoz ağacına astılar.

- Kaburgalarını delip kemiklerini geç, diye emretti Jacinto.

Pascual hayvanı itti ve kadavra sallanmaya başladı. Ramón bir hamle yaptı ama buz kıracağı hayvana saplanmadı.

- Hayır, hayır, hayır, diye azarladı Jacinto, bütün kolunu kullanmalısın. Dur sana göstereyim.

Jacinto boğanın yanına geçti ve Pascual hayvanı yeniden itti. Levazımatçı çömeldi ve kadavranın ilk salınışında buz kıracağını sapına kadar içeri soktu.

- Bütün gücünle bastırmalısın çünkü senin yaptığın hamleyle Çingene sadece gıdıklanır.

Ramón dört kez denedi ve sonunda; beşinci de bütün metali kadavranın içine sokmayı başardı. Tekniği kaptığını göstermek için bu hareketi üç kez daha yaptı.

Jacinto hayvanın sırtına vurdu ve Ramón'a, Çingene'ye koltukaltından; sol meme hizasından saldırması gerektiğini tekrarladı.

- Bir kez içeri soktun mu onu ilerletebilmek için sağa sola hareket ettirmelisin, dedi.

Macedonio, Jacinto'nun bunları Ramón'a anlatırken takındığı sakin, kendinden emin, hatta babacan tavırdan etkilendi.

- Baksana Jacinto bunu kaç kez yaptın? diye sordu.

Jacinto hiç gücenmeden cevapladı:

- Ben hiç yapmadım ama bana büyükbaş hayvanları kurban etme yöntemini öğreten kişi en azından on piçi deşmiştir.

Hiçbiri ona inanmadı ve hiç kimse konuyla ilgili tek bir laf daha etmedi.

Boğayı açıp iç organlarını çıkardılar. Jacinto yenebilir olanları; karaciğeri, bağırsakları, işkembeyi ve böbreği alıp onları naylon poşetlere koydu. Başka bir poşete peynir mayası ve yumurtalıkları koydu. Herkese üzerinde altı delik açılan kalbi gösterip onu Ramón'a verdi.

- Oldukça zarifsin, dedi, onu hatıra olarak sakla.

Hayvanın derisini yüzdükten sonra çakalların yememesi için onu dikenli amberağacı dallarıyla örttüler. Jacinto deriyi tuzladı, onu sarıp bir iple bağladı.

- Bana büyükbabanın at arabasını ödünç verirsen deriyi sana hediye ederim, dedi Pascual'a. Gece gelip hayvanı almak üzere sözleştiler.

Köye hava kararmadan önce döndüler. Ramón yol boyunca elini defalarca pantolonuna götürdü. Adela'nın profilden çekilmiş siyah beyaz portesinin hâlâ orada durduğundan emin olmak istiyordu.

4

Çingene, Abra'ya vardı ve portakal almak üzere durdu. Sabahki barbunyadan başka bir şey yememişti. Kamyonetin arkasına oturdu, portakalı dişleriyle soydu, suyunu emip posasını tükürdü. Nemli bir bezle düzinelerce yusufçuğun ön cama çarpmasıyla oluşan yeşil sarı izleri sildi. Bir portakal daha yedi ve gerisini buzluğa koydu.

Carmelo Lozano'yu bulma umuduyla Abra'dan ayrılıp Mante Şehri yoluna saptı. Yolda aklına gençken tanıştığı Yunan bir denizci geldi. Kabotaj rotasında Colón, Progreso, Coatzacoalcos, Veracruz, Tampico ve Brownsille limanlarına demir atan, Liberya bayrağı taşıyan bir ticaret gemisinin kaptanıydı. Ona "Kızıl Papadimitru" derlerdi ama bunun sebebi -kırkında tamamen kırlaşan- kızıl saçı değil fanatik bir komünist oluşuydu.

İspanyolcayı düzgün konuşurdu; yarı yabancı yarı kıyı kesiminden gelmiş gibi bir aksanı vardı. Anadilini sadece sinirlendiği zaman kullanır "star gidia" diye haykırırdı. Tampico'da, diğer pek çok şeyle beraber, gemi güvertesinde bisiklete binmekle nam salmıştı. Çingene onunla rıhtımdaki bir kumarhanede İspanyol destesiyle güçlü bir bahis oynarken tanışmıştı. "Kızıl" orada nadiren kumar oynar daha çok arkadaşlarıyla bir iki kadeh içerdi. Ağzı laf yapardı ve gündelik hayat üzerine abartılı teorilerde bulunmayı severdi. Pek çok insan, Çingene de onlardan biriydi, sadece onu dinlemek için adamın etrafını sarardı.

O gecelerden birinde "Kızıl Papadimitru", Çingene'nin hafızasına kazınan bir cümle söyledi. Denizci, "Kimi kadınlar sadece birer beden, diğerleri ise insandır," diye açıkladı. İçlerinden birisi bu ayrımı aptalca bulduğunu; sonuçta, öyle ya da böyle, her kadının hem bir beden hem de insan olduğunu söyledi. Bir şişe viski içmenin verdiği rahatlıkla, Kızıl, "Beni dinleyin, bazı kadınlarla bir kez yatar ve 'hop!' iş bittiğinde hiçbir şey olmamış gibi hisseder, ertesi sabah onları unutursunuz. İşte ben bunları sadece beden olarak adlandırıyorum.

Öte yandan bazılarıyla bütün hayatınız boyunca yatar ama onunla sevişmeye hiçbir zaman doyamazsınız. Hayatlarının her anlarında sürprizlerle doludurlar. Bunlar da insan olan kadınlardır. Birini aklınızdan atar ve onun hakkında bir daha hiçbir şey bilmek istemezsiniz. Ama diğerleri, onları aklınızdan çıkarmak için ne kadar uğraşırsanız uğraşın, içinizde kalır," diye açıkladı.

Kızıl'ın açıklamaları ıslıklara, alkışlara ve yuhalamalara yol açtı. Onu maço, köylü, ayyaş ve pislik olmakla suçladılar. Kızıl, hakaretleri umursamayıp varsayımlarda bulunmaya devam etti.

Çingene Kızıl'ın düşüncelerinden o kadar etkilenmişti ki bütün gece onları düşündü durdu. Kadınlar içinde kimi erkeklerin yalnızca birer beden, diğerlerininse insan olup olmadığını ve bir kadın bedeninin erkek bedenine, insan gibi bir erkeğin sadece vücuttan ibaret bir kadına -ya da tam tersi- rastladığında ne olduğunu sordu.

Ertesi gün okuldaki arkadaşlarına Kızıl'dan dinlediği teori sanki kendisine aitmiş gibi anlatmak istedi. Sonunda sınıf arkadaşlarından birisi çıkıp "O zaman senin annen sadece vücuttan ibaret çünkü bildiğim kadarıyla baban onu bedavaya aldı ve seni onun karnında bıraktı," diyene kadar bu konuşmanın aleyhine olacağını düşünememişti.

Diğerleri onunla dalga geçerken Çingene'nin öfkeden beti benzi attı. Kendisine laf atan çocuğu dövmek istedi ama o -kendisiyle yüzleşmek yerine- okulun bahçesinde koşup "Gelin de vücuttan ibaret olan bir kadının oğlunu görün, vücuttan ibaret bir kadının oğlunu görmeye gelin..." diye haykırdı. Utanç içinde kalan Çingene, okuldan ayrıldı ve bir daha da geri dönmedi.

Kumarhaneye de bir daha hiç gitmedi ve Kızıl'dan hayatı boyunca nefret etti. Birkaç yıl sonra karnına saplanan bir tekila şişesiyle ölü bulunduğunu öğrendiğinde sevindi. Bunu limandaki orospulardan; vücuttan ibaret olan kadınlardan biri yapmıştı.

O salı günü -otoyolda Mante Şehri'ne ilerlerken- Gabriela ile ne kadar çok sevişirse sevişsin hiçbir zaman yeterince sevişmemiş olacağını fark edinceye kadar bir daha ne Kızıl'ı ne de onun teorilerini hatırladı. Onu baştan ayağa öpebilir ama yine de öpme arzusunu tatmin edemezdi; teninin her santimini yalayabilir ve her birinden farklı bir tat alabilirdi. O zaman Yunan kaptanı anladığını düşündü. Kızıl'ınki maço bir adamın kopardığı bir yaygara değil sadece -kesinlikle- âşık olan bir adamın sevdiği kadını diğerlerinden ayırma çabasıydı.

5

Mante'ye vardı ve Victoria Şehri'ne çıkan yolu buluncaya bütün şehri dolaştı. Neredeyse otoyolun üzerinde duran son evde yerel polis tabelası vardı.

Kapıyı çaldı; gömleği dışarı sarkık, leş gibi bira kokan ve uyuklayan bir polis açtı.

- Selam Çingene, n'aber? İçeri geç, komiser odasında.

Çingene oraya her ay kendine düşen payı almaya giderdi. Para ödeyen bir kaçakçı olarak nam salmıştı ve evli kadınlarla takılması dışında sorun yaratmayan bir tipti. Carmelo Lozano'yu odalardan birinde üç memuruyla domino oynarken buldu. Yanlarındaki bir iskemlede değişik markalı içi boş bira şişeleri ve masanın üzerinde kanyakla içinde *quesadilla*[14] artıkları olan bir tabak vardı. Odayı sinek cesetleriyle kaplı bir projektör aydınlatıyordu. Üzerinde gömlek olmayan, omuzlarında nemli kırmızı bir bez duran Lozano, Çingene'ye yanına oturmasını önerdi.

- Az bekle, dedi, bir altılı yapıp bu arkadaşı yendikten sonra seninle ilgileneceğim.

Domino maçı devam etti. Çingene arka bahçedeki kirişe asılı iki ölü geyik olduğunu gördü.

- Onları bazı avcılardan aldık, diye açıkladı Lozano, yarın bir barbekü yapacağız, gelmek ister misin?

- Hayır, yapacak işlerim var, diye cevap verdi Çingene ve bakışlarını komiserin domino taşlarına dikti. Lozano bir taşı kaldırıp masaya bıraktı.

- Bununla çekiliyorum, dedi.

Böyle oldu; oyunculardan biri çift dörtlüyü koydu ve komiser son taşını; dört ikiyi çıkardı.

Lozano sandalyeden kalktı ve parmak uçlarını tavana değdirerek esnedi.

---

[14] İçinde erimiş peynir olan bir dürüm çeşidi.

- Çorba yapın, diye emretti, buradaki arkadaşım aç duruyor.

Kanyaktan bir yudum alıp şişeyi Çingene'ye uzattı.

- Seni buraya hangi rüzgâr attı? diye sordu.

- Hayat, komiserim.

Lozano güldü.

- Peki, hayattan başka?

- Loma Grande'de birkaç işim var ve bana orada bir kavga olduğu söylendi. Bunun hakkında ne biliyorsunuz?

- Bir kızı öldürdüler...

- Evet, öyleymiş, diye araya girdi Çingene.

Lozano konuşmaya devam etti.

- ...ve köyde bir çalkalanma var.

- O kadar ciddi mi?

- Seni orada görecek olurlarsa ananı ağlatmalarına yetecek kadar ciddi.

- Benim cenazede bir mumum bile yokken neden ben?

Carmelo yeniden esnedi ve bütün ağırlığını sandalyeye verdi.

- Titreşimler dostum, titreşimler.

Başka bir oyun daha başladı.

- Peki, orada ne işin var? diye sordu Lozano.

- Verdiğim borçları geri alacağım.

- Sonra al.

- Yarın ödeyecekleri konusunda anlaşmıştık.

Lozano yedi taş aldı ve onları sayılarına göre düzenledi.

- Baksana ne lanet bir oyun dostum, dedi Çingene'ye elini göstererek. Başını uzatıp arkadaşına "Kim açıyor, sen mi, ben mi?" diye sordu.

Diğer adam üçlülerden oluşan bir el açtı.

- Bence sen oradaki bir hatunla takılıyorsun ve artık suyun ısınmaya başlıyor.

- Öyle bir şey de var ama şimdi paramı almaya gideceğim.

- Bir tavsiye ister misin dostum? Köye bulaşma... Gerçekten... İnsanlar öfkeli.

- Sadece paramı ödemelerini istiyorum. Günübirlik gidip geleceğim.

Lozano onaylamadığını belirten bir tavır takındı ve masaya bir taş attı.

- Pas, dedi.

El devam etti ve komiser yine pas geçti.

- Lanet olsun, ne oynadığıma dikkat et, dedi oyun arkadaşına.

Gergin olan memur cevap verdi:

- Bir dahaki sefere, bir dahaki sefere.

Lozano omzundaki bezle yüzünü sildi ve yanındaki şişeden bir yudum daha aldı.

- Peki Çingene, ne istiyorsan onu yap... Sadece sonra gelip de bana ağlaşma.

Oyun Lozano'nun, 25 puanla, iki el kaybetmesiyle sona erdi.

- Lanet olsun, dedi Carmelo ve taşları çevirmeye devam etti.

Çingene, heyecanla ellerini pantolonuna sürttü.

- Baksana komiserim, bana bir tabanca ödünç veremez misiniz? Köyde birinin bir delilik yapmasını ve başıma bir şey gelmesini istemiyorum, dedi Pedro Salgado'yu düşünerek.

- Olmaz dostum, diye anında haykırdı Lozano, anlaşıldı. Hem senin çift canlı olduğun söyleniyor, silahı ne yapacaksın ki?

- Evet ama dokuz canlı kediler bile ölüyor.

Komiser dönüp Çingene'ye baktı.

- Nedir bu korku dostum? Cinayetle bir ilgin olmadığını söylememiş miydin?

- Siz de Loma Grande'deki durumun çok ciddi olduğunu söylemediniz mi? diye kendine güvenerek karşılık verdi Çingene, tabancayı sadece önlem için istiyorum.

Lozano bu cevaptan hoşlanmış gibiydi; ses tonu değişmişti.

Çingene harekete geçmeden önce "Onu sana ödünç vermem, satarım," dedi.

- Kaça? diye sordu Çingene memnuniyetini saklamadan.

Lozano domino oynadığı üç memuruna baktı -ve onlarla bir anlaşma yapmış gibi- cevap verdi:

- İki buçuk milyon.

- N'oluyor komiserim? Bu fiyata şarjörlü bir tüfek alırım.

- İstediğim fiyat bu. Alıyor musun, almıyor musun?

Çingene elini pantolonunun cebine attı ve kasetçalarlardan kazandığı iki milyon pezoya dokundu.

- Bir buçuk veririm.

Lozano yedi taş seçti ve gözlerini onlardan ayırmadan "Ne senin dediğin olsun, ne benim... İki iki yüz ver," diye cevapladı.

- Bir yedi yüz.

- Bir dokuz yüz ve tartışma bitmiştir.

- Sökül.

Çingene paraları çıkarıp saydı ve masaya koydu.

- Hepsi burada.

Komiser sakince onları aldı ve tişörtünün içine sakladı.

Bir oyun daha başlayıp bitti. Onu bir oyun ve ardından bir başkası izledi ve Lozano yerinden kımıldamadı. Çingene sabırsızlandı:

- Peki ya tabanca?

Şaşırmış numarası yapan komiser cevapladı:

- Ne tabancası?

Çingene huzursuzlandı.

- Anlaşmayı bozmayın komiserim... Yapmayın...

- Neden bahsettiğin hakkında en ufak bir fikrim yok, dedi Lozano ve onları sorgularcasına adamlarına baktı; bu arkadaşımızın neden bahsettiğini bilen var mı?

Polislerin üçü de sırıtarak başını salladı.

- Gördün mü? Hangi silahtan bahsettiğine dair hiçbir fikrimiz yok.

Çingene, Lozano bu tavrı takındığında onunla tartışılamayacağını biliyordu.

- Beni böyle yarı yolda mı bırakacaksınız?

Carmelo Lozano masaya bir taş koydu.

- Beşli, dedi ve yeniden nemli bezle yüzünü sildi. Sonra da elini Çingene'nin dizine koydu.

- Yanlış anlama dostum, seni yarı yolda bırakmıyorum; sana yardım ediyorum.

- Bunu beni kazıklayarak yapıyorsun, öyle değil mi?

- Hayır, diye belirtti komiser, çünkü bana verdiğin parayı gelecekteki ödemelerinin karşılığı olarak alıyorum... Haydi şimdi uza, dikkatimi dağıtıyorsun ve oyunu kaybediyorum.

Çingene itiraz etmeye yeltendi ama Lozano onu anında susturdu.

- Dışarı dedim, yoksa bir bahane bulur, seni içeri tıkarım.

Bunun üzerine Çingene daha fazla ısrar etmedi ve oradan öfkeyle ayrıldı; komiser sadece elini beline atarak ondan neredeyse iki milyon peso almış, onu soyup soğana çevirmişti.

Yeniden şehrin içinden geçti ve öbür tarafa; Tampico yoluna sapıp yakındaki bir arazide durdu. Kamyonetin içine geçip koltuğu yatırdı, birkaç çarşaf çıkardı ve uyumaya hazırlandı. Kararını vermişti: Loma Grande'de olay çıksın ya çıkmasın, silahı olsun ya da olmasın, yarın Gabriela'yı almaya gidecekti.

XV

BİR GECE ÖNCE

- Çingene, Aztecas'ta.

Bu haber, salı öğleden sonraları Loma Grande'ye uğrayan ve rotası El Abra - El Triunfo - Plan de Ayala - Niños Heroes - Los Aztecas - Ejido Madera - Díaz Ordaz - Canoas - Graciano Sánchez - Pastores Kooperatifi - Loma Grande - Santa Ana - El Dieciocho - López Mateos - Ciudad Mante olan otobüsle gelen Guzmaro Collazos'un ağzından yayıldı.

- Nereden biliyorsun? diye sordu Amador Cendejas.

Bir yandan beraberinde getirdiği ve iki şeker çuvalının altında sıkışıp kalan hindilerden birini canlandırmaya çalışan Guzmaro "Kamyonetini hanın önünde gördüm," diye cevapladı. Hâlâ Justino Téllez'le yaptığı tartışmanın etkisinde olan Marcelino huzursuzlandı:

- Ve ona her şeyi anlattın.

- Ahmak geri dönüyor, diye sadece çevredekilerin duyacağı şekilde mırıldandı Justino.

Guzmano ölmek üzere olan ve başını kaldıran hindinin yüzüne üflemeyi bırakıp cevap verdi:

- Bana böyle saçma sapan laflarla gelme Huitrón, dedikoducu bir ibne değilim.

172

- Ama kızı öldürenin Çingene olduğunu öğrendikten sonra köyden dışarı çıkan tek kişisin.

Bu doğruydu: O sabah Guzmaro, kuş almak için, bisikletle Niños Héroes'e gitmişti. Bisikleti orada yaşayan bir kuzenine bırakmış ve hindileri taşımak zorunda kalmamak için otobüsle dönmüştü.

- Marcelino az önce sana Çingene'yi değil kamyonetini gördüğümü söyledim.

- Bakalım... Bakalım... diye cevapladı Marcelino.

Guzmaro ona karşılık vermedi; hindi ellerinde ölmüştü ve onunla ne yapacağını bile bilmiyordu.

Çingene'nin Loma Grande'den pek de uzakta bulunmadığını öğrenmek insanları kışkırttı ve çoğunda onu öldürme isteği uyandı. Sotelo Villa hep beraber Los Aztecas'a gidip onu linç etmeyi önerdi ama Justino Téllez adamı sakinleştirdi:

- O iş bize düşmüyor, dedi, o Ramón'un işi.

Herkes boğa avından dönen Ramón'un çevresini sardı. Çingene'nin sadece birkaç kilometre uzaklıkta olmasına ne tepki vereceğini bilmek istiyorlardı. Ona farklı şekillerde baskı yaptılar. Bazıları onu intikam yeminini tekrarlamaya zorladı. Diğerleri; içlerinde Marcelino Huitrón ve Sotelo Villa da olan, daha saldırganları, onu bu gece Aztecas'a gidip Çingene'yi hazırlıksız yakalamaya zorladı. Kafası karışan Ramón, kendine yüklenenlere cevap vermeyi başaramadı. Jacinto Cruz onları atlatmasına yardım etti:

- İyi bir avcı, dedi, kaplanın ayağına gelmesine izin verir; onu aramaya gitmez.

Bu söz Marcelino Huitrón'u daha da kışkırttı:

- Peki ya kaplan gelmezse? diye küstahça sordu.

Jacinto'nun cevap vermesine fırsat tanımadan Justino Téllez araya girdi:

- Marcelino, Çingene'nin döneceğini sana kaç kez söylemem gerekiyor? dedi huzursuzca.

Sinirlenen Marcelino ona meydan okudu.

- Peki, bunu nereden bildiğini benim sana kaç kez sormam gerekiyor?

Justino sandalyeden kalktı, içtiği birayı metal masaya koydu ve Marcelino'ya döndü.

- Çünkü korkacak bir şeyi olmayan insan korkmaz, diye cevapladı ve daha fazla açıklama yapmadan arkasını dönüp uzaklaştı.

Diğerlerinin aklı karıştı. Temsilcinin ne demek istediğini sadece Ranulfo Quirarte anladı. Justino'nun Çingene'nin masum olduğunu bildiğine şüphe yoktu ve kendisi gibi bunu diğerleri de anlayabilirdi. Ranulfo yalanının bayağılığını fark edip korktu. Ramón, Çingene'yi öldürmezse ki büyük ihtimalle böyle olacaktı, o zaman Çingene onu suçlayan insanın adını öğrenmek ve bu hakaretin bedelini ödetmek isteyecekti. Artık geçmişe dönüp söylediklerini geri alamazdı. Bir şekilde Çingene'nin kurban edilmesini sağlamalıydı; bu onun tek kurtuluşuydu.

Kaygıyla insan kalabalığının içine daldı; kendini eve kapayıp beklemeye başladı.

Gece oldu. İnsanlar evlerine dağıldı ve dükkânda sadece birkaç kişi kaldı. Olayların her an patlak verebilecek oluşunun kesinliği bütün çevreye yayılıyordu.

Jacinto da bundan şüphe duymayanlardan biriydi. Ramón'u bir köşeye çekti.

- Tetikte olmalısın, dedi, Çingene yakında gelecektir.

Çantasındaki buz kıracağını çıkarıp ucunu bir kaç defa törpüledi.

- Hazır, dedi, ve onu öfkeyle alan Ramón'a uzattı.

- Düşünme, diye ekledi, onu düşünmeden öldür.

Ramón avucunun içindeki parlak metale baktı. Artık ne ölü hayvanın kaburgalarında öldürme numarası yapmaya, ne de çene çalmaya vakti vardı. Bekleyiş, gerçek bekleyiş, başlıyordu.

SON BÖLÜM

1

Kamyonetini altına park ettiği elma ağaçlarının üzerindeki ekin kargalarının sesiyle gün doğumundan biraz önce uyandı. Carmelo Lozano'ya kendisinden arakladığı para yüzünden duyduğu öfkeye ve birkaç saat içinde Gabriela Bautista'nın bedenini yeniden kollarında hissedebileceğine duyduğu şüpheye rağmen sakince uyudu. Arabanın içine dolan bunaltıcı sıcak bile uykusunu kaçırmadı.

Çingene kapıyı açınca bütün kuşlar uçuştu. Sabah serinliğini solumak için başını dışarı uzattı; dışarısı yanmış şeker kamışı kokuyordu. Buzluğun üzerine oturup spor ayakkabılarını giydi. Kamyonetin kasasından aşağı indi ve ufuk çizgisindeki gölgelerin çevresini sardığı Bernal Tepesi'ne baktı. Yakında oradan geçecekti.

Portatif ocağı yakıp kahve için su kaynattı. Acelesi yoktu. Bautista'nın kocasının Salado tarlalarına doğru yola çıkmasını beklemek işine geliyordu. Loma Grande'ye sekizde varmak rakibinden uzak olmasını garantileyecekti.

Beş kaşık şeker, bir kaşık süt tozuyla kahveyi hazırladı. Küçükken, annesi kahveyi ona böyle hazırlardı. Şekerin ona daha çok enerji vereceği ve hızlı büyümesine yardımcı olacağı konusunda ısrar ederdi.

Kahveyi bitirdi ve iki portakalın suyunu emdi. Kirli fincanı yıkadı ve ocakta kalan benzini beyaz bir bidona boşalttı. Önünden bir çakal koşarak geçti. Çakalla göz göze geldiler ve hayvan hiçbir korku belirtisi ya da saldırı niyeti göstermeden yoluna devam etti.

Radyoyu açtı. Tampico radyo istasyonunda 'Günaydın Çiftçiler' programı vardı. Neşeli ve eğlenceli bir konuşma yapıyormuş gibi duran uyuklayan iki sunucu 'çok sevgili dinleyicilerinden' aldıkları mektupları yorumluyordu. İkisi de birer mektup okuyup 'Bayer'in tarım ürünlerinin eşsiz faydalarını' övdükten sonra saati söylediler.

Çingene, Bayticol'un keneye karşı en iyi çözüm olduğunu dinleyip saatin yediyi on altı geçtiğini öğrenince yola koyulmaya karar verdi. Ocağı kutusuna koydu, yorganı topladı ve yolda yemek üzere buzluktan bir portakal çıkardı. Motoru çalıştırıp ısınmasını bekledi. Direksiyonu çevirdi, geri vitese takıp Tampico yoluna koyuldu. Kırk dakika içinde varmak istediği yere ulaşacaktı.

2

Onun gelişini gören ilk kişi Pascual Ortega'ydı. Kamyonetini Dieciocho[15] yamacında uzaktan seçti. Dikkatini yolda ilerleyen küçük siyah noktaya yöneltti ve gelenin kim olduğundan emin olduktan sonra toprağı sabanla süren atlara koştuğu boyunduruğu bırakıp köye doğru koşmaya başladı.

---

[15] *18* anlamına gelir.

Torcuato Garduño, sesler duymaya başladığında, evinin avlusunda bir eşeğin sırtına mısır çuvalları yüklüyordu. Evin çatısına çıkıp sabanın açtığı izlerin arasında umutsuzca koşturup avazı çıktığı kadar bağıran Pascual'ı gördü.

- Geliyor... Geliyor...

Torcuato bakışlarını kaldırıp köye doğru ilerleyen kamyonete baktı.

- Lanet olsun, diye haykırdı.

Metal tabakalara basarak aşağı indi, eşeği çite bağladı ve aceleyle Jacinto Cruz'un avlusuna doğru yola koyuldu.

Onu, ahırda, Macedonio ile önceki öğlen avladıkları boğayı keserken buldu.

- Geldi, diye haykırdı.

Kasap bir parça et kesip onu yerdeki eski gazetelerin üzerine attı ve "Kim geldi?" diye sordu.

Çileden çıkan Torcuato cevapladı:

- Lanet... Tabii ki Çingene!

Jacinto doğruldu, bir gazete parçası alıp ellerindeki kanı temizledi.

- Şimdi burada mı? diye sakince sordu.

- Henüz değil ama çok sürmez, diye sabırsızca yanıtladı Torcuato.

Jacinto birkaç saniye düşündü.

- Git Ramón'a haber ver, hazır olmasını, Çingene'nin döndüğünü ve onu dükkâna getireceğimi söyle.

Torcuato kendisine verilen bilgileri dinledi, avlunun çitlerinin üzerinden atladı ve haberi yaymak üzere tüm gücüyle koştu.

- Ve sen; dedi Jacinto, Macedonio'ya dönerek; bulabildiğin herkesi toparla ve işlerin çirkinleşme ihtimaline karşı hepsini dükkânın yakınına getir.

Macedonio insanları toplamak üzere evlere doğru yola koyuldu. Jacinto et dilimlerini paketleyip Hint kenevirinden yapılma çantasına koydu. Son olarak kılıfına koyduğu bıçağını gömleğinin içine sakladı. Çingene'nin yolunu kesmenin en iyi şeklinin -muhtemelen onun ilk gideceği yer olan- Rutilio Buenaventura'nın evinin dışında beklemek olduğuna karar verdi; oradan da onu Ramón'un dükkânına birkaç bira içmeye davet edecekti.

Arsadan çıktı ve Pascual'ın "Geliyor... Geliyor..." diyen sesini duydu.

3

Justino Téllez süt dolu bardağı masanın üzerine koydu ve arkasına yaslandı. Pascual'ın çığlıklarını ve onun ardından etrafa yayılan gürültüleri dinlemişti. Şimdi Çingene'nin yaklaşan kamyonetinin motor sesini duyuyordu.

Gözlerini kapadı. Birinin ölümünden önce oluşan bu sesi daha önce pek çok kez dinlemişti. Bu, Jiménez'in üç kardeşinin Nazario Duarte'yi öldürdüğü sabah; Rogaciano Duarte' nin intikam alma uğruna Hipólito Jiménez'in kulübesini, içinde karısı ve iki çocuğuyla beraber, kül oluncaya kadar yaktığı akşam duyduğu sesti. Bu, sekiz polis memurunun, onu uyuşturucu kaçakçısı zannederek, Adalberto Garibay'a tuzak kurup adamı delik deşik ettikleri zaman duyduğu sesti. Bu, tozda ilerleyen ayak sesleri, koşuşturan insanların gürültüleri ve seyrek bir sessizlikti. Sonunda, öyle ya da böyle, sadece içeriden duyulan bir sesti.

Bardağı alıp yavaşça salladı. Sütün bardağın kenarlarına yapışıp izler bırakarak kaymasını izledi. Tam o anda yola çıkabilir ve Çingene'yi başına gelecek saldırıdan kurtarabilirdi. Dükkâna gidebilir ve Ramón'a Çingene'nin bu suçla hiçbir ilgisi olmadığını, sevgilisinin -ne de olsa Adela, Ramón'un sevgilisiydi- ölmeden birkaç dakika önce yattığı adam tarafından bıçaklandığını ve onun gibi biri için bir masumun kanını dökmeye değmediğini açıklayabilirdi. Herkesin önünde, büyük ihtimalle Ramón ve Çingene arasındaki ölümcül karşılaşmadan faydalanacak olan, gerçek katilin maskesini düşürebilirdi. Kulağını tırmalayan ölüm sesini anında susturabilirdi. Yapmadı. Sadece bardaktan damlayan süte baktı.

4

Soyundu ve başından aşağı birkaç bardak su boşalttı. Serinleyebilmek için suyun bedenini ıslatmasına izin verdi. Isı ve tozla dolu bir sabahı daha yenmek zorundaydı.

Pilli radyosunu çalıştırıp sesini açtı. Yatağın üzerine oturup saçını taramaya başladı. Aletten yayılan Kolombiya müziğine eşlik etti. Saçını taramayı bitirdi. Yataktan kalkıp aynaya baktı. Gözlerinin altında, küçücük, neredeyse görülmez olan kırışıklıklar vardı. Gabriela hoşnutsuzca kaşlarını çattı. Zamanında büyükannesi ona, kırışmaya başlayan kadınların çürümeye başlayan meyveler gibi olduğunu söylemişti. Bu yalandı; o çürümeye çok daha önce başlamıştı.

Aynayı bırakıp kilere yöneldi. Karnı açtı.

Pencerenin önünden geçti ve ince perdenin arkasından, uzaklarda; okulun önünde koşan Pascual Ortega'yı gördü. Bağırdığını fark etti ama radyonun sesinden adamın ne dediğini anlayamadı. Radyonun sesini kısıp pencerenin önünde yeniden belirdiğinde Pascual'ı göremez oldu. Bir süre düşüncelere daldı. Derken bir aracın sesini duydu. Kulak kabarttı; bu, o karıştırılması mümkün olmayan sesti. Sokaktakilerin kendisini çıplak görebileceğini umursamadan perdeyi açtı ve sesin nereden geldiğini anlamak için başını dışarı uzattı. Sağa döndü. Kalbi çarpıyordu; siyah kamyonet köşede duruyordu.

Gabriela mutlulukla yatağa yöneldi ve yatağın altında duran giysi sandığını çıkardı. Aceleyle giyinmeye başladı ama aniden durdu.

- Onu öldürecekler, diye haykırdı.

Bir çarşafa sarınıp kapıya koştu. Onu durdurmalı, onu öldürmek istediklerini, beraber kaçmaları gerektiğini söylemeliydi. Üç korna sesi duydu. Bu, Çingene'nin ona yarım saat sonra her zamanki yerlerinde buluşmalarını söyleme şekliydi. Büyük bir kaygıyla sürgüyü açıp kapıya çıktı. Hızla ilerleyen Çingene'yi görüp umutsuzluğa kapıldı. Yarı çıplak bir şekilde ona yetişmeye çalıştı ve arkasından bağırdı:

- Çingene...

Bir daha bağıramazdı çünkü Ranulfo Quirarte; Yârenlik, çite yaslanıp ona bir şeye ihtiyacı olup olmadığını sordu.

5

Rutilio Buenaventura'nın evinin önünde durdu. Motoru kapatıp ellerini direksiyona koydu. Ortalık sakin görünüyordu ama kendine dikkat etmesi daha iyi olurdu; Carmelo Lozano onu boş yere uyarmazdı. İçerinin ısınmaması ve bir hava akımı oluşması için camları açtı. Kamyonetten inip Rutilio'nun arazisinin kapısına doğru yürüdü. Gelişini haber vermek için her zaman yaptığı gibi ıslık çaldı. Kör adam cevap vermedi.

- Uyuyor.

Çingene arkasından gelen sese doğru hızla döndü ve dostça gülümseyen Jacinto Cruz ile karşılaştı.

- Ben de ona gelmiştim, diye ekledi Jacinto, ama cevap vermiyor... Ayrıca tavukları bile çıkarmadı.

Tavukları dışarı bırakmak Rutilio'nun uyanır uyanmaz yaptığı ilk işti; içeriden bir gıdaklama sesi geliyordu.

Jacinto Cruz şapkasını çıkarıp alnına damlayan teri sildi.

- Güneş fazlasıyla inatçı… Şimdiden yakıyor, dedi ve devam etti; yaşlı adam uyanıncaya kadar bir iki bira içmeye ne dersin? Ben ısmarlıyorum.

Çingene teklifi reddetti.

- Burada beklemeyi tercih ederim.

Jacinto vazgeçmedi ve adamın sırtını sıvazlayarak "Bu güneşte niye kavrulasın ki? Bazen Rutilio dokuz buçuğa kadar uyanmaz. Canlan biraz. Fazla gecikmeyiz," dedi.

Çingene'nin Jacinto'dan şüphelenmek için hiçbir sebebi yoktu. Ayrıca, Loma Grande'ye daha önce yaptığı ziyaretler sırasında beraber içki de içmişlerdi.

- Tamam ama önce uyanıp uyanmadığına camdan bir bakayım, dedi. Çiti açıp avluya girdi.

Jacinto kımıldamayıp adamın eve gidişini izledi. Rutilio onu uyarıp planı bozabilirdi.

Çingene camdan bakıp geri döndü.

- Sallanan sandalyede uyuya kalmış, dedi.

- Peki, ne yapıyoruz?

- Gidelim o hâlde.

6

Buz kıracağını dört defa eline alıp bıraktı. Bu, bir önceki öğlen kullandığı buz kıracağından tamamen farklıydı. Başka bir şekli, dokusu ve boyutu vardı. Bunu kavramak imkânsızdı; elde durmuyordu.

Torcuato, Ramón'un buz kıracağını gömleğinin sol kolundan içeri saklama çabalarını ümitsizce izledi.

- Acele et, diye bağırdı.

Ramón buz kıracağını yeniden eline aldı. Parmaklarının titremesini engellemeye çalıştı ama başaramadı. Onu yeniden tezgâha bıraktı.

- Kendini kesmeyesin, diye alay etti Torcuato.

Kendini kesmezdi, sadece silahı gömlek kolunun plileri arasına yerleştirmenin bir yolunu bulamıyordu. Kalp atışlarına nasıl engel olacağını, ön kolunun sertleşen kaslarını nasıl yumuşatacağını bilemiyordu. Torcuato ona haberi fazlasıyla erken getirmişti. Öldürmeye -ya da ölmeye- böylesi zamansız hazırlanamazdı. Hayır, bu şekilde olmazdı.

Torcuato, Ramón'un gömleğinin içine buz kıracağını yerleştirmeye çalıştı ama bunu o kadar kaba hareketlerle yapıyordu ki alet kayıp yere düştü.

Birden dükkânın kapısında Macedonio belirdi ve "Geliyorlar," diye fısıldadı.

Ramón sağ eliyle buz kıracağını alıp sımsıkı tuttu; bir daha bırakmayacaktı.

Duvardaki bir delikten dışarıyı gözetleyen Torcuato, Jacinto ve Çingene'nin yaklaştığını gördü.

- Kamyonetinin lastiklerini patlattınız mı?

Macedonio başıyla onayladı. Torcuato yeniden delikten baktı.

- Marcelino'nun evine gidiyorlar, diye haykırdı. Ramón elini çenesine götürüp derin bir nefes aldı.

- Buradan canlı çıkmasına izin verme, dedi Torcuato ve saklanmak üzere Macedonio ile harekete koyuldu.

Ramón tezgâhın arkasına yerleşti. Elindeki bir bezle buz kıracağını saklayıp onu mümkün olduğu kadar aşağıda tuttu.

7

Çingene'yi alarma geçirip sürpriz bir saldırıdan haberdar olmasını sağlayanlar küçük ayrıntılardı; o, evlerinin önünden geçerken cama çıkan meraklı kadınların bakışları, gizlice köşelere kaçan erkekler ve sabahın o saatlerinde pek de alışıldık olmayan bir sessizlik...

Çingene fazla tedirginliğe kapılmadan gelebilecek her saldırıya karşı tetikte durdu. Bedenini gerdi ve her köşeye dikkatlice baktı.

Dükkâna girdikleri an sırtını tezgâhın barına dayadı. Yüzünü kapıya dönmek, böylece olabilecek her sıra dışı hareketi gözlemek istiyordu. Sırtını Ramón'a dönmüş olmak umurunda değildi; dükkâncı herhangi bir tehlike teşkil etmiyordu.

Jacinto, Ramón'u onun karşılık veremediği bir günaydınla selamladı; kelimeler Ramón'un boğazında düğümleniyordu. Onu baştan ayağa saran titremeye engel olmaya çalıştı.

Jacinto buzluğa yöneldi, iki şişe çıkarıp açtı. "Bira içeceğiz," dedi Ramón'a sırıtarak. Çingene'ye dönüp biralardan birini uzattı. Çingene birayı sol eliyle aldı; sağ eli, herhangi bir saldırı karşısında kendini savunmak üzere boşta kalmalıydı.

Jacinto biradan bir yudum alıp kapının yanındaki duvara yaslandı. Dikkat kesilen Çingene, onu bakışlarıyla izledi.

İnsanlar sohbete başladı. Hâlâ tezgâhın arkasında olan Ramón bir türlü sinirlerini yatıştıramıyordu. Yarı karanlıkta kalan Çingene, hatırladığından daha uzun ve güçlü görünüyordu gözüne. Onu asla öldüremeyeceğini düşündü.

Oğlanın şaşkınlığından gerilen Jacinto birasını bitirip yeni bir tane istedi. Ramón, bunun saldırıya geçmesi için bir işaret olduğunu anladı. Tezgâhın arkasından dolanıp buzluğa yürüdü. Çingene'nin yanından geçerken titredi. Adam, doğrulup onun önünden geçmesine izin vermişti.

Ramón buzluğun yanında; Çingene'nin solunda durdu. Parmaklarının arasındaki buz kıracağı sallandı. Gözlerini kaldırıp onu saplaması gereken yere baktı. Aletin üzerindeki bezin yavaşça kayıp düşmesine izin verdi. Buz kıracağı ortadaydı.

Dikkatini kapıya yöneltmiş olan Çingene, Ramón'un silahlı olduğunu fark etmedi. Birasından bir yudum almak için sol kolunu kaldırdı. Ramón onun terli koltukaltını görüp saldırıyı tam o noktaya planlayarak hamlesini yaptı. Buz kıracağını sapına kadar saplayıp bir hamlede geri çıkardı.

Çingene, aldığı darbeyle, sendeleyerek bir iki adım attı ve düşmemek için bir rafa tutundu. Sıcak ve keskin bir acı hissetti ve elini deşilmiş koltuk altına götürdü. Parmakları ıslandı.

Kan içinde kalan elini kaldırıp ona şaşkınlıkla, sanki akan kanın kendisine ait olduğuna inanamıyormuş gibi baktı. Yaranın varlığını tekrar hissedip bakışlarını Ramón'a çevirdi.

- Orospu çocuğu, diye mırıldandı.

Bira şişesini sallayıp öfkeyle tezgâha doğru fırlattı. Ramón korkup geri çekildi ve saldırmaya hazır bir şekilde yumruğunu sıktı. Çingene başını salladı. Derin bir nefes alıp verdi ve göğsünün şişmesiyle gömleği kan içinde kaldı.

Ölmek üzereyken üç metre ilerledi ve sendeleyerek kapı eşiğinde durdu. Ağızları açık kendisini izleyen birkaç kadına baktı.

- Şimdi değil, diye homurdandı. Hava alma ihtiyacı duyarak yeniden ağzını açtı. Yumruklarını sıktı, acı dolu bir ifade takındı ve sanki yerdeki bir parayı almak için eğiliyormuş gibi, yavaş yavaş bükülmeye başladı; sokağın kuru toprağının üzerine yığılıp kaldı.

Ramón tezgâhın barına tutunarak kaydı ve dükkânın içinden Çingene'nin son nefesini kusuşunu izledi.

8

Ceset yüzüstü duruyor, terli yüzü toza gömülüyor, açık gözleri şaşı bakıyordu. Jacinto kadavraya yaklaştı, hâlâ nefes alıp almadığını anlamak amacıyla avuç içini onun burnuna götürdü.

Macedonio ve Pascual ile birlikte cesedin yanına gelen Torcuato "Hâlâ yaşıyor mu?" diye sordu.

- Hayır, diye kestirip attı Jacinto. Doğrulup dükkâna girdi. Titreyip sallanan Ramón'u gördü.

- Buradan uzaklaşman gerek, diye emretti.

Ramón, adamın sözlerini anlamaya çalışırcasına "Nereye gideyim?" diye sordu.

- Nereye olursa ama uza artık.

- Neden?

Jacinto cevap vermedi. Ramón, onun sessizliğinden kaçışının kaçınılmaz olduğunu anladı. Tezgâhın altındaki bir kutuyu açtı, içindeki bütün parayı aldı ve sokağa çıktı.

Birkaç saniye düşmanın cesedine baktıktan sonra koşmaya başladı.

Duvardaki bir çatlaktan cinayeti gözetleyen ve oğlunun hızla uzaklaştığını gören dul Castaños kaygıyla evden çıktı.

9

Patikaların arasında koştu, koştu ve bacakları daha fazlasına izin vermeyince durdu. Dinlenmek üzere bir taşa oturdu. Loma Grande'den uzakta; daha çok Pastores Kooperatifi yakınındaydı. Hâlâ elinde tuttuğu kanlı buz kıracağına baktı. Üzerinde tek bir kan damlası kalmayıncaya kadar onu tükürüğüyle temizleyip beline soktu.

Sabah, her zaman içinde barındırdıklarından yoksun gibiydi; her günkü sıcaklık yoktu, hava aynı değildi, hatta ağustosböcekleri bile farklı ötüyordu. Bir şey her şeyi değiştirmiş, her şeyi farklı kılmıştı.

Karnı açtı ve susamıştı. Guayalejo nehrini çevreleyen patikadan kaçmamış olmasının bir hata olduğunu düşündü. Orada en azından su içebilir ve balıkçıların sepetlerinden kerevit çalabilirdi. Şimdi nehir birkaç kilometre uzağında kalıyordu.

Yiyecek bulma umuduyla taşlı topraklarda dolanıp durdu. Süpürge darılarının ve serpilmiş tohum öbeklerinin olduğu bir alana geldi. Dilinin ucuyla ilaçlanıp ilaçlanmadıklarını kontrol etti; bu mevsimde küçük uçaklar ürünleri ilaçlardı. Tohumlar acı gelmedi; bu, onlara böcek ilacı sıkılmadığı anlamına geliyordu. Otlardan yedi.

Oradan ayrıldı, güneşin açısına bakıp kuzeye yöneldi; Kansas'a gidip kardeşini bulmanın yapabileceği en iyi şey olduğunu düşündü.

Birkaç dakika yürüdükten sonra birden durdu. Ceplerinde Adela'nın fotoğrafını aradı. Boşunaydı; yanında değildi. Loma Grande'ye dönüp bir kez daha onun için kendini tehlikeye atma isteğiyle doldu. Bunun bir delilik olduğunu düşündü, zaten Adela kimdi ki? Kuzeye doğru yürümeye başladı. Birkaç adım attıktan sonra yeniden durdu; Adela her şeydi ve onu unutamazdı, sadece yapamazdı işte. Yarım bir daire çizip uzaktaki Bernal Tepesi'ne baktı. Güneye doğru yürümeye başladı; adımları her seferinde daha da hızlanıyordu. Yakında Adela'ya yeniden kavuşacaktı; kırışmış, profilden çekilmiş, siyah beyaz bir fotoğraftan ibaret olsa bile…